CW00922754

COLLECTION FOLIO

Albert Cohen

Ô vous,
frères humains

Gallimard

Albert Cohen, né en 1895 à Corfou (Grèce), a fait ses études secondaires à Marseille et ses études universitaires à Genève. Il a été attaché à la division diplomatique du Bureau international du travail, à Genève. Pendant la guerre, il a été à Londres le conseiller juridique du Comité intergouvernemental pour les réfugiés, dont faisaient notamment partie la France, la Grande-Bretagne et les Etats-Unis. En cette qualité, il a été chargé de l'élaboration de l'accord international du 15 octobre 1946 relatif à la protection des réfugiés. Après la guerre, il a été directeur dans l'une des institutions spécialisées des Nations Unies.

Albert Cohen a publié *Solal* en 1930, *Mangeclous* en 1938 et *Le Livre de ma mère* en 1954. En 1968, le Grand Prix du roman de l'Académie française lui est décerné pour *Belle du Seigneur*. En 1969, il publie *Les Valeureux*, en 1972 *Ô vous, frères humains* et en 1979 *Carnets 1978*. Il est mort à Genève le 17 octobre 1981.

I

Page blanche, ma consolation, mon amie intime lorsque je rentre du méchant dehors qui me saigne chaque jour sans qu'ils s'en doutent, je veux ce soir te raconter et me raconter dans le silence une histoire hélas vraie de mon enfance. Toi, fidèle plume d'or que je veux qu'on enterre avec moi, dresse ici un fugace mémorial peu drôle. Oui, un souvenir d'enfance que je veux raconter à cet homme qui me regarde dans cette glace que je regarde.

Mais il ne s'agit ni du jour où l'on coupa les boucles d'un mignon petit capi-

taliste, ni de quelque convenable amou-
rette avec une fillette de bonne et ren-
tée famille, ni d'une vieille bonne si
dévouée et depuis quarante ans dans la
famille, les bourgeois adorent ça, et
leurs yeux illuminés d'idéal s'attendrissent
de confort charmé, et parce qu'ils
raffolent de pratiquer leur amour du
prochain, amour qui n'engage à rien, à
rien qu'à sourire, ils sourient beaucoup
à cette esclave et prochaine, fort aimée
mais peu payée, à chaque ordre donné lui
sourient saintement, lui montrent leur
squelette de bouche, lui adressent un mes-
sage dentaire d'amour du prochain, ce qui
ne coûte pas cher et les épanouit et dilate
de perfection morale. Il ne s'agit pas non
plus d'une dînette chez une riche grand-
mère bourrue et par conséquent proclamée
cœur d'or, les bourgeois adorent servilement ça, et ils passent tout aux vieilles
générales tyranniques et sourdes qui don-
nent des ordres en tapant le plancher

avec leur canne, ils leur passent tout si
elles ont une grande propriété avec des
chênes séculaires et beaucoup de domestiques, et de ces vieilles teignes ils disent
toujours qu'elles sont très bonnes au
fond, et ils les chérissent abjectement,
de même qu'ils chérissent la reine d'Angle-
terre lorsque, à la télévision, elle embrasse
la petite fille au bouquet, ils adorent ça,
et de nouveau ils s'attendrissent bassement
d'amour et de sécurité ravie, et ils sourient
à cette chère reine encore en place, lui
sourient servilement, sourient à la stabilité,
sourient à l'ordre, garant de leurs posses-
sions, et parce qu'ils sont pleins d'âme, avec
un tas de suppléments d'icelle, ils adorent
aussi la vie intérieure et ils sont friands
de valeurs spirituelles non moins que de
valeurs honorablement cotées en Bourse. Il
ne s'agit pas non plus de quelque confortable mésaventure capitaliste genre chute
dans l'étang de Bon-Papa, ni d'une question primesautière de jeune rejeton de

famille spiritualiste et cossue, une question
de l'espèce Mère chérie, dites-moi, Dieu
aime-t-il les domestiques autant que nous
qui sommes de la bonne société?

Non, il s'agit d'un souvenir d'enfance
juive, il s'agit du jour où j'eus dix ans.
Antisémites, préparez-vous à savourer le
malheur d'un petit enfant, vous qui mour-
rez bientôt et que votre agonie si proche
n'empêche pas de haïr. O rictus faussement
souriants de mes juives douleurs. O tristesse de cet homme dans la glace que je
regarde.

O rictus faussement souriants, ô mon
amour déçu. Car j'aime, et lorsque je
vois en son landau un bébé aimablement
m'offrir son sourire édenté, angélique sourire tout en gencives, ô mon chéri, cette
tentation de prendre sa mignonne main,

de me pencher sur cette main neuve et tendrement la baiser, plusieurs fois la baiser, plusieurs fois la presser contre mes yeux, car il m'émeut et je l'aime, mais aussitôt cette hantise qu'il ne sera pas toujours un doux bébé inoffensif, et qu'en lui dangereusement veille et déjà se prépare un adulte à canines, un velu antisémite, un haïsseur qui ne me sourira plus. O pauvres rictus juifs, ô las et résignés haussements d'épaules, petites morts de nos âmes.

II

Je vieillis que c'est un plaisir, et je mourrai bientôt. Je mourrai bientôt, me redis-je avec un sourire. Drôle, je vais mourir, et je serai seul et gourd dans ma boîte et ma terre, tout seul et cireux et à jamais séquestré dans le noir étouffant silence, n'ayant pour compagnie que les files parallèles des raides morts, mes muets collègues, tout seul et flegmatique et refroidi dans ma longue boîte entourée de terre, terre humide, terre grouillante d'affreuses petites vies lentement ondulantes, et par-dessus les vivants auront mis une lourde dalle bien cimentée pour que le crevé ne s'avise pas de sortir de son trou.

Je vais mourir, me dis-je chaque jour.
Adieu donc, celle que j'ai chérie, adieu,
le monde, adieu, brillante nature, adieu,
tendre mer Ionienne où je suis né, ô mater-
nelle, ô limpide que j'aimais contempler,
et près du rivage le fond était si visible
et si pur que les larmes me venaient.
Et vous, doux souvenirs, où serez-vous
lorsque je n'y serai plus, ô mes colombes
souvenirs, et mourrez-vous aussi?

Oh, tout impassible sur mon lit de mort
je serai, indifférent même aux sanglots de
celle qui tant m'aima, et cela est incroyable
car elle est ma bien-aimée, et elle me
contemplera inaccessible en ce glacial déta-
chement, un étranger devenu, et elle ne
comprendra pas cette cruauté et que je ne
réponde pas à ses sanglots et que je ne
calme pas son mal, moi qui de toute âme
lui répondais et toujours la consolais et

alors, calmée, elle souriait et mettait sa tête
sur mon épaule ou frottait son front contre
ma poitrine, petit poney aimant.

Avant que tout impassible sur mon lit
de mort je sois, indifférent même aux
sanglots de celle que j'ai tant aimée, avant
donc que tout silencieux et gourmé je sois,
il faut que j'écrive un livre utile, court ou
long, on verra bien, et assez de romans.
Dans les pages que je vais écrire avec
une maladive lenteur et un étrange petit
plaisir triste et appliqué, je sais que je ridi-
culiserai l'enfant que je fus. Mais il n'importe si je parviens à ramener les haïsseurs
à la bonté, à les convaincre que les juifs
sont aussi des humains et même des prochains. Des humains, oui, avec des émois,
des joies, des espoirs, des tendresses, des
angoisses et, en leur enfance, des larmes
solitaires, des sanglots dans la gorge figés,
et des hontes, les yeux baissés.

III

Qui sait, me suis-je dit, ce que je vais leur conter va peut-être changer les haïsseurs de juifs, arracher les canines de leur âme? Oui, si je leur explique le mal qu'ils ont fait à un petit enfant, par eux soudain fracassé de malheur, s'ils lisent ce livre jusqu'à la fin, ils comprendront, me suis-je dit, et ils auront honte de leur méchanceté, et ils nous aimeront. De plaisir, je viens de me faire un clin d'œil dans la glace en face de moi. Soudain, j'ai pitié de moi, tout seul dans ma chambre, pitié de ce réformateur des haïsseurs, pitié de ce chimérique qui, de victorieux plaisir, vient de se frotter les mains tout

seul dans sa chambre, pitié de mon absur-
dité, pitié de mon clin d'œil ravi et de ce
lamentable frottement des mains.

Mais quoi, si ce livre pouvait changer
un seul haïsseur, mon frère en la mort,
je n'aurais pas écrit en vain, n'est-ce pas,
Maman, mon effrayée ? De quelque étrange
part, cette part qui est en moi, ma mère
m'approuve, je le sais, ma mère morte au
temps de l'occupation allemande, ma mère
qui a eu peur des haïsseurs de juifs,
ma mère qui était naïve et bonne, et qu'ils
ont fait souffrir. Elle était bonne et elle
croyait en Dieu. Je me rappelle qu'un
jour, pour me dire la grandeur de l'Éternel,
elle m'expliqua qu'il aimait même les
mouches, et chaque mouche en particulier,
et elle ajouta J'ai essayé de faire comme
Lui pour les mouches, mais je n'ai pas
pu, il y en a trop.

IV

Je vais mourir bientôt et je serai un mort, un mort impliable, un vrai mort dans ce même lit où vivant je dormirai et respirerai ce soir, et ensuite ils me déposeront habillé et tout contraint et bougon dans un cercueil de chêne ciré, à l'intérieur joliment capitonné de satin blanc, mon cercueil, ma dernière propriété, et ils n'auront pas su m'habiller bien, ces imbéciles, et je serai très engoncé dans mon complet anthracite beaucoup trop chaud, et j'aurais préféré le gris léger, si joli, mais ils feront de moi tout ce qu'ils voudront, et ainsi traite-t-on les morts, solennels incapables, pauvres délaissés, et on vissera la planche

étouffeuse au-dessus de moi, et je ne pro-
testerai pas, pauvre agneau, et adieu,
Albert Cohen.

Je vais mourir bientôt et être dans de la
terre à jamais, et au plus haut du ciel un
éployé vautour en suspens attend déjà et
me surveille, et j'écris pourtant avec un
petit sourire aimable, avec une soigneuse
lenteur, en un cheminement gauche mais
commandé. Termite patient quoique
bizarre, je fore mes couloirs, diligemment
mes méandres, studieusement mes tunnels,
avec l'écriture scolaire que j'ai lorsque
je conduis ma plume en état d'obéissance
et certitude, sûr et sans joie, mais avec
quelque neurasthénique plaisir, cahin-caha,
triste et mécanique, commandé comme un
cafard ou une étoile, et je dépose mes tris-
tesses, stériles plaintes offertes à l'avenir, et
aussi quelques fleurs séchées, restes des funé-
railles de mon cœur, mes fleurs pour ceux

que j'ai aimés en silence et sans vouloir
en être aimé, car ils n'aiment jamais assez.

Il fait beau dehors, il y a la vie dehors,
et moi je reste seul et enfermé, oubliant
de vivre. Drôle, je serai un mort dans
quatre ou cinq ans, ou dix ans au plus,
un mort tout déconfit et ankylosé, tout
gauche et gêné, et la cravate mal nouée,
pour la première fois mal nouée, ils n'ont
pas su, les imbéciles, un mort si mort,
un authentique macchabée avec tous ses
charmes de claqué, et dans cent ans un
tout osseux avec, sous le nez disparu,
l'effrayant grand rire muet entre les deux
maxillaires, le large rire incessant des
morts, et dans mille ans quelques débris
dans ma caisse, un peu de fémur peut-
être ou d'os iliaque ou de sacrum ou de
grand trochanter, et des graviers d'osse-
ments.

Oh, ces lourdeurs étranges aux bras
sont un avertissement, et ce mal inconnu
au haut de la poitrine est une préparation,
un bout de mort, et la vieillesse est un
décès par petits morceaux, et le pire sera
mon agonie, de moi aussitôt connue, et
aucun espoir alors, aucune survie, et je
ne me réfugierai pas dans un niais au-delà,
et gloire à la vérité, mon honneur et ma
joie. Drôle, je vais n'être plus bientôt,
un mort imperturbable, et au lieu de pro-
fiter de cette vie qui est unique, je suis là
dans ma chambre, tout seul, à écrire
du matin au soir, à mettre des vermisseaux
d'encre sur du papier, si inutilement.

C'est que, naïf que je suis, je veux,
en mon âge tardif, et avant que le cercueil
lentement ne descende, je veux laisser une
sorte de testament pour ceux qui remueront

encore tandis que, débarrassé d'eux, je
serai tellement immobile, moi, tout guindé
et affecté et vraiment affreux, verdissant
jaunissant et séché dans une caisse étouffante, sans air pour respirer, une caisse
bientôt disjointe, et moi à jamais imbécile,
à jamais sourd et muet, n'entendant pas
les vivants et le bruit de leurs pas au-dessus
de ma terre, n'entendant pas les aigus
commérages d'un oiselet sur ma tombe,
et soudain il soulèvera sa pattelette pour
la décontracter, mon chéri, et il fera de
mignons mouvements pour passer le temps
ou pour sentir qu'il est vivant et qu'il se
porte bien, et il fait si beau, nom de
Dieu! s'écriera-t-il en son argentin langage, et soudain il vocalisera, reprendra
son petit poème complètement marteau
sur ma tombe, maboul sacré, petit messie,
brimborion fou et chantant qui me fait
honte de cette continuelle mort dont
je noircis mes pages.

Pour moi qui vis avec ma mort depuis mon enfance, je sais que l'amour et sa sœur cadette la bonté sont les seules importances. Mais comment le faire croire à mes frères humains? Jamais ils ne le croiront en vérité, et je suis resté le naïf de mes dix ans. Mais je dois leur dire ce que je sais et advienne que pourra de ma folie. O vous, frères humains, connaissez la joie de ne pas haïr. Ainsi dis-je avec un sourire, ainsi dis-je en mon vieil âge, ainsi au seuil de ma mort.

V

Il y a des spécialistes de la statistique ou de l'archéologie. Je suis, moi, le désobligeant spécialiste de la mort, la mort au rire muet de caïman. Aimable vocation. Mais qu'y puis-je si elle m'obsède et m'endeuille, cette mort universelle, qu'y puis-je si je ne suis pas comme tous ces pressés dans les rues, tous à eux-mêmes si importants et chers, tous démangés de réussir, prochains cadavres, tous en comique prurit de succès et d'importances, et ils gesticulent fort, si animés, et ils parlent avec conviction et ne savent pas, les pauvres, que bientôt ils ne parleront plus, calmes en leur définitif emballage.

Oh, ces jeunes dames provisoires qui circulent en croyant qu'elles seront toujours vivantes, mignonnettes allantes et du talon tapantes, fières et armées de leurs deux gourdes laitières présomptueusement avancées, toutes de la race des majorettes, toutes arborant leurs cocasses derrières fortement moulés, toutes démangées de montrer le plus possible de leurs viandes, toutes sur leurs lèvres peintes cet appel rouge des femelles, louche fanal allumé, toutes par l'exhibition violente d'une muqueuse significative affirmant leur grotesque souci de susciter le désir des mâles, toutes allant, jacassantes et médisantes, avec tant de hâte et de gaieté, toutes vers leur durable silence, à jamais assagies, à jamais vertueuses.

Oh, ces comiques mâles qui circulent, velus descendants d'anthropopithèques et adorateurs de la force, animal pouvoir de meurtre, qui circulent en croyant qu'ils seront toujours vivants, et ils discutent avec une basse passion de cette chère équipe de football qui n'aurait pas dû être battue, et quel coup pour l'honneur national, et c'est la faute de ce fumier d'arbitre, et ils discutent aussi, avec une fureur d'amour, de la glorieuse victoire de leur héros national, cet admirable coureur cycliste qui sait tout aussi bien qu'un singe remuer vite ses pattes sur deux roues, et ils le vénèrent et l'adorent, ces crétins, et de sa victoire ils sont heureux, ces malheureux, et ils ne se doutent pas que le bois de leur cercueil existe déjà, dans une scierie ou dans une forêt, et les attend.

VI

Que cette épouvantable aventure des humains qui arrivent, rient, bougent, puis soudain ne bougent plus, que cette catastrophe qui les attend ne les rende pas tendres et pitoyables les uns pour les autres, cela est incroyable. Mais non, pensez-vous, voyez-les se haïr les uns les autres, et dans toutes les villes et tous les villages chaque homme a un ennemi qui veut lui nuire, et chaque homme est un Abel, et un Caïn aussi. Voyez-les en leurs guerres se tuer les uns les autres depuis des siècles, se tuer abondamment malgré leur loi d'amour du prochain, loi qui est d'ailleurs de ma race, inscrite en premier

dans le Lévitique au chapitre dix-neuf,
verset dix-huit, voyez-les, ces singes rusés,
voyez-les depuis des siècles avec successi-
vement leurs flèches, leurs haches, leurs
francisques, leurs lances, leurs piques,
leurs hallebardes, leurs arbalètes, leurs
javelots, leurs framées, leurs masses
d'armes, leurs marteaux d'armes, leurs
nobles épées, les petits salauds, leurs
arquebuses, leurs mousquets, leurs fusils,
leurs baïonnettes troueuses de ventres,
leurs canons, leurs mitrailleuses, chéries
de leur odieuse progéniture inutilement
gavée de vitamines, leurs torpilles, leurs
bombes à billes, leurs bombes au napalm,
leurs gaz innervants, leurs chères bombes
thermonucléaires, leurs vénérées bombes
super-sales au cobalt, leurs sous-marins
nucléaires lanceurs d'engins à tête multiple,
leurs fusées intercontinentales à charges
mégatonniques, leurs missiles sol-sol et
sol-air et mer-sol et bientôt lune-terre et,
délice et fierté, leurs missiles anti-missiles

à tête chercheuse. Telle est leur voie,
telle leur folie.

De cette immense folie des singes savants,
de cette incroyable folie je n'en reviens pas
et n'en finis pas de n'en pas revenir. Et
tout en clamant depuis des siècles leur
amour du prochain, tout en s'en délicieusement gargarisant, ces singes vêtus continuent à adorer la force sous tous ses
masques, l'horrible force qui est capacité
de nuire et dont l'ultime racine et sanction
est l'antique et auguste pouvoir de tuer,
et ces carnassiers adorent la guerre qui
leur est exaltante et sacrée, et ils en parlent
avec pompe et respect, et ils se rengorgent
de leurs batailles et de leurs victoires
militaires dont ils suçotent les chères dates,
et ils admirent et adorent leurs héros et
grands meurtriers, leurs conquérants, leurs
dictateurs, leurs maréchaux et amiraux,
compétents tueurs entourés de révérence,

et tout en jouant à aimer leur prochain, ils continuent à haïr, et déjà sur les murs d'Aix-en-Provence, en l'an de grâce mil neuf cent soixante-dix, ont été inscrites ces nobles paroles Que crève la charogne juive et revienne l'heureux temps du génocide! O amour du prochain.

VII

Leur amour du prochain, je l'oublierai ce soir. Car un bonheur me reste, éphémère comme elle et comme moi, mais si grand. O bonheur lorsqu'elle rentrera ce soir, bonheur de chaque soir, bonheur de sa voix derrière la porte de ma chambre, sa voix qui m'annonce qu'elle est là, car elle n'ose pas entrer sans que je l'y invite, et parfois je feins de n'avoir pas entendu, pour le bonheur de l'entendre à travers la porte redire son enfantin Je suis là, bouleversant miracle, le redire plusieurs fois de sa voix d'enfance, d'une voix de plus en plus haute car elle s'inquiète de mon silence et craint confusément quelque malheur, et en son

tréfonds craint ma mort subite, et ainsi
est l'amour, tremblement pour l'autre,
et enfin je lui réponds et lui dis d'entrer,
et c'est le bonheur de la voir, bonheur
de chaque soir, bonheur de ses yeux d'étoile
et de son âme derrière ses yeux, bonheur
de ses gestes gauches, miracle de chaque
soir, ô mon doux ghetto privé.

Soudain, dans l'appartement désert, seul
devant ma table où j'écris, je lui dis les
trois mots sacrés, je les dis à l'absente,
et c'est doux, et qu'importe leur amour
du prochain, qu'importe qu'il n'y ait nul
espoir, qu'importe la mort proche, la
mienne et la sienne, et nous ne serons plus,
à jamais disparus, qu'importe puisqu'elle
rentrera ce soir, et je la verrai.

VIII

Je regarde ces yeux tristes qui me regardent dans cette glace devant moi, tristes yeux qui savent, moroses et mécréants, et soudain ils sont les yeux d'autres juifs qui viendront après moi, lorsque je n'y serai plus, des juifs tristes, aimable floraison, des juifs sans God Save The King, sans Marseillaise, sans Brabançonne, des juifs qui connaîtront l'offense lorsqu'ils auront dix ans. Un jour, comme un que je connais, ils s'approcheront, sortant de leur école, ils s'approcheront du camelot qui, devant sa table, vend un détacheur universel. Et le camelot leur dira, comme il m'a dit, leur dira, tandis qu'ils seront tout emplis

de crétine tendresse confiante, leur dira
comme il m'a dit à moi le seizième jour
du mois d'août de l'an mil neuf cent cinq,
dixième jour anniversaire de ma naissance,
car j'étais venu au monde, drôle d'idée,
dix ans auparavant.

IX

En ce seizième jour du mois d'août,
à trois heures cinq de l'après-midi, sortant
du lycée où j'étais allé suivre un cours
de vacances pour cancres en arithmétique,
je vis un attroupement. A l'affût de m'intéresser et de jouir de la vie, de ma vie
qui venait de commencer, je m'approchai.
C'était un camelot qui devant sa table
pliante démontrait avec feu les mérites
de son détacheur universel. Fort animé
et me forgeant déjà mille félicités de
connaissances nouvelles, je me faufilai au
premier rang pour mieux entendre et
admirer le blond camelot aux fines moustaches. J'étais très fort en admiration
en ce temps de mon enfance.

Oh, comme j'étais heureux d'écouter
ce séducteur, de rire avec les badauds,
de participer, d'en être! A chaque plaisanterie du cher camelot, si spirituel, je
regardais mes voisins pour rencontrer leurs
yeux, pour me réjouir avec eux, pour
communier. Oh, comme il parlait bien,
et comme je l'admirais, et combien le
merveilleux langage français était plaisant
au petit étranger débarqué à cinq ans
de son île grecque et qui le parlait encore si
mal. Extasié, physiquement charmé, j'écou-
tais l'enchanteur, je le contemplais avec
foi, une foi de petit chien, je croyais en lui,
et je l'aimais. Ainsi étais-je, ainsi était
ce petit crétin aux boucles noires, aux
longs cils recourbés. Quand, avec son
bâton de miracle, le magicien faisait disparaître une tache, je regardais de nouveau
mes voisins pour m'assurer qu'ils appré-
ciaient, pour savourer leur admiration,

pour être en union d'émerveillement. J'étais heureux, je souriais au camelot, j'étais fier de lui, fier de sa compétence, fier de son accent parisien, et je l'aimais.

J'avais trois francs dans ma poche, cadeau de ma mère en ce jour anniversaire, et je décidai d'en consacrer la moitié à l'achat de trois bâtons de détacheur. Ainsi le camelot m'estimerait, me trouverait intéressant, et je pourrais rester longtemps à l'écouter, du droit d'un client sérieux. Et puis Maman serait si contente! Jamais plus de taches! Le cœur battant, tout ému de l'important achat qui allait me valoir la considération des badauds et l'amitié du camelot, je mis la main dans la poche de mon costume marin pour en sortir la grande somme, et j'aspirai largement pour avoir le courage de m'avancer et de réclamer les trois bâtons. Mais alors, rencontrant mon sourire tendre de dix ans, sourire d'amour, le camelot s'arrêta de discourir et de frotter, scruta silencieusement mon visage, sourit à son tour, et j'eus peur. Son sourire venait de découvrir deux longues canines, et un paquet de sang massivement afflua sous ma poitrine, à hauteur du sternum, avec le choc d'un coup contre ma gorge. Sous son regard bleu pâle et son index tendu qui me désignait, je transpirai, et de panique j'humectai mes lèvres.

X

Toi, tu es un youpin, hein? me dit le blond camelot aux fines moustaches que j'étais allé écouter avec foi et tendresse à la sortie du lycée, tu es un sale youpin, hein? je vois ça à ta gueule, tu manges pas du cochon, hein? vu que les cochons se mangent pas entre eux, tu es avare, hein? je vois ça à ta gueule, tu bouffes les louis d'or, hein? tu aimes mieux ça que les bonbons, hein? tu es encore un Français à la manque, hein? je vois ça à ta gueule, tu es un sale juif, hein? un sale juif, hein? ton père est de la finance internationale, hein? tu viens manger le pain des Français, hein? messieurs dames,

je vous présente un copain à Dreyfus, un
petit youtre pur sang, garanti de la confrérie
du sécateur, raccourci où il faut, je les
reconnais du premier coup, j'ai l'œil amé-
ricain, moi, eh ben nous on aime pas les
juifs par ici, c'est une sale race, c'est tous
des espions vendus à l'Allemagne, voyez
Dreyfus, c'est tous des traîtres, c'est tous
des salauds, sont mauvais comme la gale,
des sangsues du pauvre monde, ça roule
sur l'or et ça fume des gros cigares pendant
que nous on se met la ceinture, pas vrai,
messieurs dames? tu peux filer, on t'a assez
vu, tu es pas chez toi ici, c'est pas ton pays
ici, tu as rien à faire chez nous, allez, file,
débarrasse voir un peu le plancher, va
un peu voir à Jérusalem si j'y suis.

XI

Ainsi me dit le camelot dont je m'étais approché avec foi et tendresse en ce jour de mes dix ans, d'avance ravi d'écouter le gentil langage français dont j'étais enthousiaste, crétinement d'avance ravi d'acheter les trois bâtons de détacheur universel pour me faire bien voir du camelot, pour lui plaire, pour en être estimé, pour m'en faire aimer, pour avoir le droit de rester, pour en être, pour participer à la merveilleuse communion, pour aimer et être aimé.

O honte encore à l'heure où j'écris, et c'est un aveu qui me coûte, je fis un regard

suppliant à mon bourreau qui me déshono-
rait, j'essayai de fabriquer un sourire
pour l'apitoyer, un sourire tremblant, un
sourire malade, un sourire de faible, un
sourire juif trop doux et qui voulait
désarmer par sa féminité et sa tendresse,
un pauvre sourire d'immédiate réaction
apeurée et que je tentai ensuite de transfor-
mer et de faire plaisantin et complice,
genre Oui c'est une bonne plaisanterie
mais je sais que ce n'est pas sérieux et que
vous voulez rire et qu'en réalité on est de
bons amis. Un espoir fou d'enfant sans
défense et tout seul. Il va avoir pitié et
il me dira que c'était pour rire.

Mais mon bourreau fut impitoyable et
je revois son sourire carnassier aux longues
canines, rictus de jouissance, je revois son
doigt tendu qui m'ordonnait de filer tandis
que les badauds s'écartaient, avec des
rires approbateurs, pour laisser passer le

petit lépreux expulsé. Et j'obéis, la tête
baissée, j'obéis et je partis, solitaire entre
les deux rangs de la petite foule rigolarde,
gardant mon lamentable sourire nerveux,
tâchant de le rendre effronté, un sourire
d'offense et d'humiliation. Quelques minu-
tes auparavant, je m'étais avancé vers la
table du camelot avec un sourire d'enfant
et je partais maintenant avec un sourire de
bossu. Je m'étais avancé en offrant les
roses de mon cœur et on m'avait jeté au
visage, à mon visage confiant et neuf, un
paquet d'immondices.

XII

Et je suis parti, éternelle minorité, le
dos soudain courbé et avec une habitude
de sourire sur la lèvre, je suis parti, à
jamais banni de la famille humaine, sangsue
du pauvre monde et mauvais comme la
gale, je suis parti sous les rires de la majorité
satisfaite, braves gens qui s'aimaient de
détester ensemble, niaisement communiant
en un ennemi commun, l'étranger, je suis
parti, gardant mon sourire, affreux sourire
tremblé, sourire de la honte.

Mais, au tournant de la rue, j'ai déposé le
sourire et, allumons les dix bougies roses,

un regard méfiant m'est venu, un regard
oblique, un regard de bête malade, et j'ai
rasé les murs en ma dixième année, en
ce dixième anniversaire de ma naissance,
rasé furtivement les murs, chien battu,
chien renvoyé. Le juif, c'est sournois,
disent les antisémites.

Beau et les yeux beaux, et les belles
boucles au vent, et plein de dents neuves,
j'ai erré dans les rues de Marseille, ne
sachant pas pourquoi ils étaient méchants,
ne comprenant pas le mal que j'avais fait,
que je leur avais fait. Je me suis arrêté
devant un mur, mon premier mur des
pleurs, pour comprendre. Et mon dos,
soudain vieilli devant le mur, mur des
pleurs, mon dos devenu juif a commencé
à aller d'arrière en avant et d'avant en
arrière, a commencé à prendre le balan-
cement rituel de mes pères, le rythme de
complainte et de longue tristesse, la sécu-

laire cadence de rumination du malheur, a
commencé à se voûter et à devenir un dos
méditatif, dos neurasthénique où pousse la
bosse des juifs, couronne de leur malheur,
bosse des étranges qui pensent trop et
remâchent trop, remâchent tout seuls.
Cette sale race, c'est précoce, disent les
antisémites. Bref, allumons rétroactivement
dix bougies roses.

XIII

Il errait, le petit enfant, et il ne comprenait pas. Quoi, n'était-il pas venu avec
tendresse, avec un sourire fleuri, pour
écouter le beau parler du camelot, le gentil
langage français qu'il aimait tant et que
de tout son cœur il apprenait, lui, débarqué
depuis cinq ans de son île grecque? Avec
confiance il s'était approché de la table
pliante pour se réjouir des plaisanteries
du camelot et gentiment rire et approuver
et participer et s'instruire et mieux apprendre cette chère langue devenue sienne, et
amicalement se mêler à la petite foule
ronde et fraternellement en être. Il errait,
et il ne comprenait pas.

Que vous avait-il fait, dites, vous qui l'avez chassé, vous tous qui avez rigolé du petit qui avait cru pouvoir s'approcher de la table pour communier avec vous et être des vôtres, quel mal vous avait-il fait, ce beau petit garçon, que vous avait-il fait, ce naïf un peu féminin? Est-ce un tel péché que d'être né, que de naître? O vous, les copains de l'amour du prochain, vous qui avez tant savouré la confrérie du sécateur et le raccourci où il faut, que vous avait fait cet innocent, ce petit émerveillé, que vous avait-il fait pour que vous soyez méchants, pour que vous lui donniez, en guise de joyeux anniversaire et comme cadeau de fête en ce jour de ses dix ans, cette haineuse rigolade?

XIV

Chassé par le camelot et par la foule
hardie, j'errais, honni et honteux et plus seul
qu'une épingle. J'errais dans les rues, dans
les rues de Marseille que j'aimais et que
j'aime, et où j'ai passé mon enfance auprès
de ma mère et de mon père. Brusquement,
je décidai d'aller à la gare pour prendre
un train et partir, tragiquement disparaître.
Mais comment aller à la gare? Si je demandais à ce passant, il regarderait mon visage
et il saurait ce que j'étais, puisque le camelot avait deviné. Je me résignai finalement
à demander à une femme, en cachant
mal avec ma main des traits d'un antique
Chanaan venus. Dès que la femme m'eut

renseigné, gentiment renseigné parce qu'elle n'avait pas deviné ce que j'étais, je m'enfuis comme un voleur, vers le train qui m'emporterait loin des méchants.

Arrivé à la gare, je me ravisai et je m'assis dans un coin noir pour pleurer à mon aise. Coin noir, c'est une façon poétique de parler. En réalité, j'entrai peu noblement dans un lieu d'aisances payant et je m'y enfermai pour souffrir à mon aise et de tout mon foie qui me faisait mal, pour pleurer en la dixième année juive de ma vie.

XV

Oui, un cabinet payant de gare, un refuge de deux sous contre la méchanceté. Là, en compagnie d'une chaîne dont l'indifférente poignée de faïence pendait, je pleurai solitairement. Là, debout en face de la cuvette des waters, quel manque de goût de choisir un tel lieu pour souffrir, là, pleurant et sanglotant et reniflant, je savais que je n'étais pas méchant, que j'étais un bon petit garçon, un très doux enfant, fier de ses boucles, un gentil qui voulait admirer et croire et surtout aimer et être aimé, et pourquoi, oh pourquoi, s'étaient-ils mis à rire de moi, si contents quand le méchant m'avait insulté et chassé.

Pourquoi? demandai-je à la poignée de la chasse d'eau, et je m'assis par terre.

Ridiculement assis sur le ciment froid, les épaules contre le siège du cabinet payant, je ne comprenais pas. L'enfant juif ne comprenait pas. Le visage illuminé de larmes immobiles, je cherchais à comprendre l'énigme de cette haine, tout en torturant une des courtes boucles qui retombaient sur mon front, la faisant, la défaisant, la refaisant. Sale juif, me répétais-je, sale juif, cherchais-je à comprendre, me sentant condamné, retranché, coupable, criminel, incompréhensiblement criminel, irrévocablement criminel d'être né.

XVI

En ce cabinet de gare, je frissonnais, transpirant d'effroi. Le camelot avait dit que les juifs étaient une sale race, tous des salauds, mauvais comme la gale. C'est affreux, pensais-je, je suis un méchant sans le savoir, c'est peut-être comme ça, les méchants. J'avais le vertige. Alors mon père et ma mère étaient aussi des méchants sans le savoir? J'avais mal au milieu de ma poitrine. Je cherchais à percer ce mystère car j'étais confiant et je croyais tout ce que les grandes personnes me disaient. Je me revois en ce lieu malodorant, les petites mains au petit front, essayant d'avoir du sang-froid et de penser, comprimant ce front enfantin pour en faire sortir de la vérité. Papa et Maman m'aimaient, donc ils n'étaient pas méchants! Mais peut-être qu'on pouvait aimer tout en étant méchant? Ou peut-être que Papa et Maman n'étaient gentils qu'avec moi et méchants avec tous les autres?

J'avais mal au milieu de ma poitrine et je détestais Dieu. Pourquoi cette méchanceté de faire les juifs méchants? Et pourquoi m'avait-Il fait un juif? Oh, personne ne m'aimerait plus dans ma vie! Partir et changer de nom? Insupportable de ne plus les voir, mes deux chéris, mes deux pauvres méchants qui ne le savaient pas, qui ne savaient pas qu'ils étaient méchants, et ce n'était pas de leur faute s'ils étaient méchants. Et puis, partir où? Je n'aimais que la France. Déclarer que je n'étais plus juif, aller dans les rues et le crier? Je tenais ma tête entre mes mains dans mon ridicule lieu d'aisances. Oh, et moi qui voulais tant devenir un colonel français, avec une badine! Jamais plus. C'était fini d'être un colonel français. Eh bien, tant pis, être méchant, puisque c'était mon sort! Aimer l'argent, puisque c'était mon sort et que le camelot l'avait dit! Mais comment faisait-on pour aimer l'argent?

Et pourquoi les gens de la foule avaient-ils ri de me voir chassé? Cette foule, c'était pourtant des gentils Français que j'aimais. Oh, ils étaient bons, les Français, je le savais, je le jurais! Peut-être que le hasard avait réuni autour du camelot les seuls méchants de Marseille? Non, impossible. Eh bien, puisqu'ils n'étaient pas méchants, ils me détestaient parce que je le méritais. J'étais donc bien un méchant, né dans une religion de méchants. Mais pourtant nos patriarches, nos prophètes? Eh bien, nous avions changé.

XVII

Une sale race, répétai-je, soudain debout, et je posai mes deux mains à plat contre le mur que je frappai de mon front, ce qui ne servit de rien, et je demeurai ce que j'étais. Ensuite, j'allai tirer la chaîne de la chasse d'eau, pour rien, idiotement, peut-être pour agir et échapper au malheur, peut-être pour sortir du silence et de la solitude. Ensuite, imbécile d'avoir mal, je considérai les craquelures de la cuvette des waters, y cherchant des visages. Vive la France, balbutiai-je plusieurs fois avec égarement, pour dire des mots sauveurs, pour tromper mon angoisse, peut-être pour leur prouver qu'ils se trompaient.

Soyez gentils, soyez gentils, balbutiai-je
aussi à plusieurs reprises, toujours devant
la cuvette, regardant au fond de la
faïence sordide, y contemplant mon destin,
le mystère de mon infamie.

De nouveau assis sur le ciment sale, je
tordis mon petit mouchoir, je le tirai,
j'essayai de le déchirer puisque j'étais un
méchant. Puis je souris bêtement, les lèvres
entrouvertes en quête hébétée. Puis, me
rappelant les mots d'une affiche, je répétai et répétai que le chocolat Menier,
l'essayer c'était l'adopter. Puis, pour passer
le temps ou pour me tenir compagnie,
je fis des comédies funèbres avec les
doigts de ma main droite, cinq marionnettes. On fait ainsi de petites absurdités
pendant un malheur, je l'appris en ce
jour de mes dix ans.

XVIII

Oui, les humains ont besoin de s'occuper
un peu pendant un malheur. Pendant un
malheur solitaire, les humains, pauvres
humains, ont d'étranges menues occupations, ont besoin de répéter des mots
saugrenus, ou de ressasser un bout de
poème, ou de tordre un mouchoir, ou
de torturer une ficelle, ou de casser des
allumettes, ou de plier et déplier une
feuille, ou de soigneusement tracer de
petits dessins minutieux neurasthéniques
proliférants, petites géométries rangeuses
collectionneuses perfectionneuses de vides
lugubres méditations, peut-être pour
s'accrocher à la planche de salut d'images

étrangères et qui n'ont rien à voir avec le
malheur arrivé, peut-être pour se bercer
avec des mots ou des gestes, pour s'hypno-
tiser et s'engourdir avec des répétitions
anesthésiantes, abrutissantes, vaguement
souriantes, peut-être pour recouvrir le
malheur avec des mots ou des gestes, pour
le recouvrir avec un rideau de petites
occupations inutiles et ne pas voir le
gouffre du malheur, peut-être pour nier
l'existence du malheur, pour la nier avec
des mots ou des gestes simples et normaux,
pour la nier avec de l'habituel et du non
catastrophique, peut-être pour faire une
magie, pour offrir un petit holocauste au
malheur et le conjurer, peut-être pour
tromper le malheur avec des mots ou des
gestes hors de propos et le persuader de
partir, ou peut-être simplement et piteusement pour se divertir un peu dans le
malheur et se consoler lamentablement.
Peut-être pour certaines de ces raisons,
peut-être pour toutes ces raisons.

Les humains, pauvres humains, mes
frères, ont aussi besoin de sourire pendant
un grand malheur solitaire, peut-être pour
se donner du courage et espérer en la vie,
peut-être pour follement se persuader
que le malheur n'est pas vraiment arrivé
et qu'on est en somme heureux, peut-être
parce que confusément ils croient en la
vertu surnaturelle du sourire et que qui
sourit n'est pas malheureux, ne peut pas
être malheureux, peut-être pour vaguement
exorciser le malheur avec une gaieté de
mystérieux pouvoir, peut-être pour leurrer
le malheur, pour le persuader de partir,
pour le convaincre qu'il s'est trompé
d'adresse et qu'il a affaire à un heureux,
peut-être pour croire et faire croire au
malheur qu'il n'est pas arrivé, peut-être
aussi pour que le malheur ait pitié de ce
malheureux qui sourit, qui lui sourit, qui
est gentil, qui mérite d'être épargné.

Peut-être pour certaines de ces raisons, peut-être pour toutes ces raisons. Ce que je sais, c'est que tout en souriant et tout en balbutiant le souhait de vie à la France et tout en faisant danser les cinq marionnettes de ma main, assis par terre et les épaules contre le siège du cabinet payant, je considérais dans la petite danse de mes doigts rêveusement mon péché d'être né.

XIX

En ce matin pluvieux une sympathie me vient pour le camelot de mes dix ans, et une pitié aussi, une tendresse de pitié. Soudain je le connais tel qu'il est, je suis son frère et son jumeau, et par pitié et tendresse de pitié je suis lui-même, lui-même devenu, tandis que je le revois si blond et revois ses fines moustaches, pauvre fils de pauvres, pauvre incapable et démuni qui veut un ennemi responsable de sa vie misérable, et qui croit que sa haine est juste et louable et s'en console. Et encore, à ce malheureux inférieur, méprisé et le sachant, il est bon et réconfortant de se sentir supérieur en méprisant à son tour.

Pitié pour lui et tendresse de pitié, et même en moi une sorte de contentement à la pensée de cette heure de petite gloire et puissance que le pauvre a connue, qu'il a enfin connue en expulsant l'enfant juif.

Et soudain, cependant que tombe la douce pluie, tendre pluie que je regarde, je sais que pardonner de véritable pardon n'est pas obéir à un commandement de religion, n'est pas m'obliger à une factice clémence, n'est pas me forcer à faussement croire que je tiens une offense pour non avenue, n'est pas renoncer à en tirer vengeance, y renoncer d'ailleurs de mauvais gré dans mon tréfonds et m'en enorgueillir et m'en trouver admirable. Je sais soudain ce qu'est pardonner de véritable pardon.

Pardonner de véritable pardon, c'est savoir que l'offenseur est mon frère en la

mort, un futur agonisant qui connaîtra les
horreurs de la vallée des épouvantements,
et déjà il mérite pitié et tendresse de pitié,
et il a tous les droits sur moi, augustes
droits de son malheur à venir, malheur certain, et comment alors ne pas lui pardonner?

Pardonner de véritable pardon, c'est
aussi comprendre que l'offense était iné-
luctable, et le comprendre parce que, par
pitié et tendresse de pitié, soudain je suis
l'autre et lui-même devenu, et je le connais,
je connais le pauvre offenseur, un innocent
méchant, toujours innocent, un malheureux chargé de chromosomes malchanceux, un irresponsable résultat, et rien
n'est sa faute, et comment alors lui en
vouloir et lui reprocher d'être ce qu'il
ne peut pas ne pas être, comment lui en
vouloir et lui reprocher d'avoir commis
ce qu'il ne pouvait pas ne pas commettre,
comment ne pas lui pardonner?

XX

Un peu de bonheur maintenant, un
peu de bonheur avant de reprendre le récit
et de dire ce qui m'arriva ensuite, me
raconter maintenant un peu du temps
heureux d'avant le jour de mes dix ans,
me raconter l'enfant qui allait être bientôt
marqué au fer de la haine, marqué d'infamie. Je me rappelle, j'étais un franginet
des oiseaux et des fleurettes, à lui-même
raconteur d'histoires crues véridiques,
toqué un peu, sans cesse émerveillé, vénu-
siaque et ravi, vite amoureux, rêveur infini
et pas du tout doué pour les affaires, pas du
tout finance internationale, pas du tout
conspirant pour la domination universelle,

comme ils disent, trop doux et rougissant au
moindre émoi, timide et aimant, idiotement
aimant, un pauvre enfant trop tendre.

Soudain, je me rappelle cet après-midi
d'août, la veille du jour du camelot,
lorsqu'une voix de femme au loin avait
chanté une romance dont le refrain était
qu'elle ne reverrait plus le bien-aimé
parti, et alors, solitaire dans la chambre
étouffante de chaleur, le petit imbécile
avait partagé la douleur de la dame aban-
donnée, avait pleuré de malheur, sangloté
de séparation, ridiculement sangloté, le
front contre le bord de la table.

Oui, un pauvre enfant trop tendre,
prompt à l'amour, enthousiaste donneur de
ses jouets et même de couverts d'argent
maternels à de petits faux amis, prompt
aussi à l'admiration, charmé d'obéir et

d'être félicité par les grandes personnes,
pathétiquement désireux d'être aimé, ado-
rant lire la vie des grands hommes français,
et souriez, antisémites, ayant un secret
autel à la France dans sa chambre.

XXI

Imaginez-vous, mais ne manquez pas
de faire de l'ironie, imaginez-vous que
j'avais pieusement établi sur le rayon
d'une armoire que je fermais à clef,
imaginez-vous, une sainte exposition enfan-
tine dans l'armoire de ma chambre, un
reposoir, une crèche patriotique, une sorte
de reliquaire des gloires de la France
qu'entouraient de petites bougies, des
fragments de miroir, des billes d'agate,
des bouts de verre coloré et de mignonnes
coupes que j'avais fabriquées avec du
papier d'étain. Les reliques étaient des
portraits de La Fontaine, de Corneille,
de Racine, de Molière, de Napoléon, de

Victor Hugo, de Lamartine, de Pasteur.
Oui, je l'ai dit dans un autre livre, mais il
faut que je le redise ici. J'aimais la France,
je détestais les Prussiens, j'étais revanchard
et cocardier, et j'adorais Jeanne d'Arc. La
France était à moi, était mon affaire. On
m'a bien montré que je me trompais et
que je manquais de tact.

Dans mon secret autel à la France il y
avait aussi une atroce figurine cassée de
Vercingétorix dans une de ces boîtes de
carton à coton rose où les dentistes
mettaient la dent qu'ils vous avaient arra-
chée. Il y avait aussi des soldats français
de plomb, des petits drapeaux français
déchiquetés par moi pour faire plus glorieux, des photographies de cathédrales,
une Tour Eiffel, un petit canon français
posé sur un napperon de dentelle en papier
près d'un président de la République,
un certain Loubet, que je respectais folle-

ment et croyais être un génie. Le chef de la France, me disais-je rêveusement en le contemplant de toute âme, et je frissonnais d'amour devant ce grand homme. Il y avait aussi la photo d'un colonel inconnu, grade qui me paraissait le plus distingué et plus enviable même que le grade de général, Dieu seul sait pourquoi, peut-être parce que colonel et monocle me semblaient des mots parents se teintant réciproquement de splendeur. Il y avait, passé dans du papier doré, un cheveu qu'un condisciple farceur m'avait affirmé être d'un héroïque soldat de la Révolution française et qu'il m'avait vendu très cher, peut-être cinquante noyaux d'abricot. Il y avait, sous un arc de triomphe en carton doré et orné de banderoles tricolores, des sachets censés contenir de la terre des colonies françaises, sachets achetés au même inventif condisciple qui avait trouvé en moi un client de bon rapport, confiant et assidu. Il y avait, il y avait. Il y avait mon amour pour la France et mon fou désir d'en être. Il y avait un enthousiasme absurde et sacré dont je n'ai pas honte et qui ne m'abandonnera jamais. Car, sous mes airs, je suis resté cet enfant.

Dans mon petit autel, il y avait aussi, çà et là affichés, et encore dans mon cœur aujourd'hui, des Vive la France calligraphiés en noir et en couleur. Contre un coquetier orné d'un poussin funèbre et de vague aspect rabbinique, il y avait une poésie naine de moi à la France et, dans le coquetier, des fleurettes de papier qui ombrageaient la photographie de feu un cher canari. Suspendues aux parois de ce petit temple à la France, il y avait de minuscules plaques votives, enluminées par moi, qui portaient de hautes et originales pensées telles que Gloire à la France et Liberté Égalité Fraternité. Mince de conspiration juive. Tout à fait Protocoles des Sages de Sion.

Pour parfaire ma déconfiture et arriver
au suprême ridicule, je dois avouer que le
soir, avant d'aller me coucher dans mon
petit lit, je fermais à double tour la porte
de ma chambre, je prenais la clef de
l'armoire sacrée, clef passée dans un cordon-
net entourant mon cou, et j'ouvrais le saint
des saints. J'allumais les petites bougies
du rayon que j'appelais le panthéon de
la France et, à genoux, je suis impitoyable
et veux ne m'épargner aucune moquerie,
je faisais monter mon âme vers la haute
France que j'aimais, et je promettais à
la France de la servir toute ma vie. France
aimée, disais-je. France aimée, redis-je
pendant que j'écris.

XXII

Et c'était ce doux petit amoureux de
la France que le blond camelot avait
expulsé et condamné à rester étranger, ce
petit absurde qui suivait tout général
français rencontré dans la rue, le suivait
longtemps, jusqu'à sa disparition, le suivait
pour rien, pour aimer gratuitement et de
loin un général français, pour s'en rassasier
les yeux et le cœur, et parce que c'était
merveilleux d'être à deux mètres de telle
sublime présence aux jambes arquées,
merveilleux de respecter et savourer les
terrifiantes feuilles de chêne, merveilleux
de suivre et adorer la France.

C'était ce petit amoureux que le camelot
avait chassé de France, ce fanatique qui
adorait se découvrir devant les trois cou-
leurs, qui ne pouvait entendre l'hymne
national français sans avoir une intense
chair de poule et qui, seul dans sa chambre,
faisait retentir la Marseillaise au phono-
graphe à pavillon, puis se figeait au garde-
à-vous et, poète ou niais, saluait militai-
rement en se regardant avec enthousiasme
dans la glace, les lèvres tremblantes de
patriotisme. Ce petit, possédé d'un fou
béguin sacré pour la France, le camelot
l'avait à jamais maudit d'étrangeté, l'avait
à jamais envoyé dans un invisible camp de
concentration, un camp miniature, je sais,
un camp de l'âme seulement.

Depuis ce jour du camelot, je n'ai pas
pu prendre un journal sans immédiate-

ment repérer le mot qui dit ce que je suis, immédiatement, du premier coup d'œil. Et je repère même les mots qui ressemblent au terrible mot douloureux et beau, je repère immédiatement juin et suif et, en anglais, je repère immédiatement few, dew, jewel. Assez.

XXIII

France aimée, disais-je en mon enfance,
France aimée, redis-je pendant que j'écris,
redis-je en mon vieil âge, redis-je si près
de ma mort, France qui m'as donné mes
amis que j'aime, mes intelligents vivaces
rapides parleurs français, France qui m'as
donné ces inconnus lecteurs de mes livres,
chers inconnus qui m'écrivent et me disent
qu'ils m'aiment, France qui m'as reconnu
serviteur étranger de ta langue, France dont
le nom m'est doux à dire.

France, haute reine vers moi s'avançant,
avec la grâce et la fierté du génie s'avançant,
France, tendre aimée rieuse aux yeux

clairs, ô vivante et inventive, ô lucide et
courtoise, ô sensible et sensée, ô charmante
par tant d'enchantements plaisante, ô for-
tunée en tous biens abondante, ô bien-
disante, ô subtile et dissertante, ô éloquente
et de tous gais savoirs armée, ô narquoise
et bénigne, ô lèvres de sinueuse ironie,
ô pensantes commissures.

France, ô jeune mère et déesse Raison
aux palpitantes narines, ô pensive au casque
d'or surmonté du sphinx, porteuse de la
lance et de l'égide, ô généreuse et ensei-
gnante, France, une de mes patries, et je
suis ton vassal et aimant bâtard et fils
étranger, car tu m'as fait ce que je suis,
car tu m'as nourri du précieux lait de ta
mamelle, car tu m'as formé à ton génie, ô
souveraine ourdisseuse des mots, ô discer-
nante, car tu m'as donné ta langue, haut
fleuron de l'humaine couronne, ta langue
qui est mienne et pays de mon âme, ta
langue qui m'est aussi une patrie.

XXIV

Un peu de bonheur encore, et me raconter maintenant Viviane, mon grand amour qui commença au début de ma neuvième année et qui dura jusqu'au jour du camelot. Après, je n'eus plus le cœur de revoir ma Viviane car je sus désormais qu'elle ne pouvait pas m'aimer, que j'étais un méchant et un vilain, mauvais comme la gale. Mais avant le jour de la haine découverte et pendant de longs mois, tous les soirs, avant de m'endormir, je mettais les couvertures sur ma tête et, bien enfoui et rencogné dans le lit, tout seul avec moi-même et en grand secret, souriant de délice et les yeux fermés,

c'était la merveilleuse histoire de Viviane
que je me narrais longuement, mon premier
roman, avec tous les détails, toujours les
mêmes, minutieusement arrangés. Viviane
n'existait pas pour de vrai, mais elle était
ma bien-aimée.

En cette histoire qu'en ma neuvième
année je m'étais inventée, un tremblement
de terre à Marseille m'avait censément
fait faire la connaissance de Viviane, la
plus belle fillette du monde. Elle avait
le même âge que moi, des jambes admira-
bles et de courtes chaussettes. Ce tremblement de terre, dont nous étions les seuls
rescapés, nous avait providentiellement
réunis dans la cave d'une maison de riches.
Éclairée par des bougies et ennoblie de
tapis, cette cave était munie d'une source
d'eau pure, de tous les livres des grands
écrivains français et de provisions déli-
cieuses, telles que biscuits marins, conser-

ves, marrons glacés, fruits confits, nougats, truffes au chocolat. De quoi être heureux. Dans un coffre, des bougies et des boîtes d'allumettes nous donnaient la certitude de ne jamais manquer de lumière. Au début, il n'y eut qu'une salle de bains dans notre cave. Mais par la suite, pour ne pas gêner Viviane, il y en eut deux, avec de l'eau de Cologne. Par convenance de moralité, il y eut aussi deux chambres à coucher. Toutes les entrées de cette cave merveilleuse avaient été heureusement obstruées par les décombres du tremblement de terre. Ainsi nous étions tranquilles, Viviane et moi, à l'abri des sauveteurs et assurés de couler des jours ravissants.

Après le repas du soir, composé de biscuits anglais très bons et de plusieurs confitures, dont toujours des cerises noires, délicieusement sèches, ma chère Viviane s'asseyait devant le piano à queue, non plus

en chaussettes mais en bas de soie, et elle
me chantait des airs étranges et mélancoliques. Charmé jusqu'aux larmes, je l'écou-
tais et j'aimais ses jambes si belles qui gon-
flaient les mailles de la soie. Ou encore,
écuyère en bottes vernies et doucement
étendue sur un divan, elle me faisait la
lecture avec un accent un peu anglais
tandis que je la contemplais et l'admirais
d'être élancée et parfaitement bien élevée.
De temps à autre, elle s'arrêtait de lire
et elle me souriait à travers ses boucles, à
travers ses longs cheveux souples, toujours
à mon amour fidèle. Ou encore, elle
m'appelait pour me montrer une image
dans le livre. Je m'approchais, nous regar-
dions ensemble, et ses boucles frôlaient
merveilleusement ma joue. Alors, elle me
prenait la main, me la serrait et me jurait
qu'elle ne regrettait pas sa vie d'autrefois,
ni son château historique, ni ses laquais,
ni les bals, ni les chevauchées dans le
grand parc. Oh, soupirait-elle, pourvu que

mon père, le vicomte, ne découvre pas notre douce retraite, je suis si heureuse avec vous, cher Albert. Bref, le paradis, et je me mourais d'amour et de fierté.

Lorsque la pendule sonnait dix heures, Viviane me souhaitait une bonne nuit, me tendait sa main à baiser, et nous nous jurions de nous aimer toute la vie. Tout cela, je me racontais tout cela dans mon lit tous les soirs, sous les couvertures, et je souriais à Viviane, très nigaud et très doux, les yeux fermés pour mieux la voir. J'étais tout neuf, je ne savais pas qu'il y avait des méchants, et Maman vivait en ce temps-là.

XXV

Encore le temps du bonheur, avant le jour du camelot. Le matin, à peine réveillé par les charrettes des paysans qui apportaient leurs légumes au marché Saint-Julien, c'était mon âne futur que je me racontais, le petit âne que des mois auparavant, lors de son passage à Marseille, mon oncle Armand m'avait promis et qu'il ne me donna jamais. Mais j'avais la foi et je croyais aux promesses des grandes personnes. Je me persuadais donc que mon oncle n'avait pas voulu imposer au petit âne les fatigues du voyage en chemin de fer depuis Paris et qu'il préférait l'acheter à Marseille, lors de sa prochaine venue. Ainsi, nous le choisirions ensemble. Depuis des mois, je pensais à cet âne chaque jour et je savais déjà comment il s'appellerait. Charmant serait son nom de merveille. Charmant était mon attente et mon amour, mon messie aux longues oreilles.

Mon chéri, disais-je dans mon lit à Charmant, tu verras comme tu seras heureux avec moi, je serai ton ami, tu verras, tu auras une jolie écurie dans la cour, une cabine bien propre rien que pour toi, bien balayée chaque jour, et je te laisserai faire la grasse matinée, tu auras une petite voiture en acajou, c'est l'oncle Armand qui l'a dit, et il n'y aura jamais des choses lourdes dans la voiture, rien que moi, ça ne te fatiguera pas, j'aurai un beau fouet, mais jamais je ne te fouetterai, je le ferai claquer seulement, et tu t'arrêteras autant que tu voudras quand tu seras un peu fatigué, et je te caresserai beaucoup parce que tu auras besoin d'affection, et puis je te mettrai une jolie fleur à ton collier, tu seras coquet comme tout.

J'étais très fort en soins à donner à Charmant parce que je m'étais renseigné auprès de Calixte, un vieux paysan bossu qui, dans sa charrette à âne, nous apportait des légumes le matin. Pour ton déjeuner et pour ton dîner, disais-je dans mon lit à Charmant, tu auras du foin, du trèfle et un peu d'orge, et le dimanche tu auras de l'avoine, mais un litre seulement parce que ça rend nerveux, c'est Calixte qui l'a dit, et puis comme dessert, si tu es sage, des feuilles de chou et de la salade, mais pas beaucoup de sucre parce que ça serait mauvais pour ta santé, et puis pour que tu digères bien, un peu de sel, c'est Calixte qui l'a dit, je te gâterai, tu verras. Confortable et adossé à l'oreiller, j'offrais le sel

à Charmant, la main bien à plat pour
qu'il ne me mordît pas, oh, sans le
vouloir, parce qu'il m'aimait bien. Et puis,
ajoutais-je, si tu transpires après une
course, je te frotterai avec un bouchon de
paille, ça te fera du bien, c'est Calixte
qui l'a dit, tu verras comme tu seras
content.

Dans le lit, parfois muni de gants parce
que cela faisait plus vrai conducteur, je
tenais les rênes de mon âne, je le guidais,
je me rejetais en arrière pour le retenir
et l'empêcher d'aller trop vite, je le grondais
de vouloir galoper, je l'avertissais qu'il
allait se casser une patte. Ou encore je lui
racontais les bonheurs qui l'attendaient,
les bonnes carottes que je lui donnerais
aussi à manger, en supplément, et je le
brosserais bien tous les jours, mais doucement et en lui parlant parce qu'il serait
un peu nerveux, et sur ses sabots je mettrais

du cirage noir que je ferais bien briller,
du cirage anglais, et puis nous irions ensemble faire des promenades et je ne lui dirais
jamais hue parce qu'on serait des amis,
je lui dirais seulement Va, mon chéri,
et quand il y aurait une montée je descen-
drais de la voiture et je la pousserais par-
derrière pour aider Charmant, et quand
nous serions arrivés à la campagne je le
détellerais, et il ferait ce qu'il voudrait,
il gambaderait tout seul dans l'herbe, et
il serait tellement content qu'il viendrait
frotter ses naseaux contre moi pour me
remercier, pour me dire qu'il m'aimait.
Fou de joie, je sautais hors du lit en pous-
sant un grand cri, un cri d'amour. Charmant, mon chéri, mon ami!

Assez maintenant, assez de temps du
bonheur, fini le temps du bonheur. Demain,
reprise du jour du camelot, jour du malheur,
jour de mes dix ans. Allons dormir main-

tenant, allons nous installer dans l'agréable cercueil. Dormir est une manière de bonheur.

XXVI

Tu es un sale juif, hein? me répétais-je
dans le cabinet payant de la gare, un sale
juif, hein? me répétais-je, et je méditais
ces mots du camelot, cette sentence inatten-
due qui avait fait de moi un soudain lépreux,
cette incroyable condamnation qui m'avait
foudroyé à l'âge de dix ans, ce cadeau
que je venais de recevoir pour mon anniversaire. Oh, et Maman à la maison en
train de préparer le dîner de fête pour moi,
Maman qui ne savait pas ce qui m'arrivait.
Oh, la table qui m'attendait, la belle table
avec le grand gâteau, avec les dix bougies
et le vin de Samos, et Maman qui ne savait
pas que je pleurais dans ce cabinet de gare.

Des larmes coulaient des mes grands yeux,
comique spectacle, sur mes joues irisées,
et mes éclatantes dents mordaient la cerise
de ma lèvre car il ne fallait pas souffrir
à voix haute. Sale juif, sale juif, me
répétais-je, le visage illuminé de larmes,
cherchant à comprendre, debout maintenant devant la malodorante cuvette des
waters, y contemplant mon destin dans les
grimaces des craquelures.

Lorsque je revois une des photographies
d'après le jour du camelot, photographies
toujours inquiètes de moi enfant, les yeux
toujours étonnés et un peu hagards, la
bouche toujours entrouverte un peu, comme
en dénégation, comme muettement récusant
une effrayante accusation, charnellement
niant d'avance une culpabilité de moi-même
inconnue, lorsque je revois ce petit stupéfait, j'ai pitié, non de moi qui ne m'importe
plus et qui vais bientôt en finir, non de moi,

mais d'un doux enfant qui ne méritait vraiment pas ça. Si au moins vous pouviez décider de ne détester les juifs qu'à partir de seize ans, disons, ça leur laisserait au moins un peu de bon temps.

XXVII

Oh, je le sais, je le sais, Papa et Maman sont gentils, ils sont mes chéris, et moi aussi je suis gentil! protestai-je soudain en ce cabinet de gare, debout et frappant du pied pour convaincre des foules, pour me convaincre. Je suis très gentil, je suis très gentil, sanglotai-je, le front contre le mur et le corps ridiculement secoué, ce n'est pas juste, c'est vous qui êtes méchants, c'est vous qui êtes des juifs! eus-je la folie d'ajouter. Je vous déteste, je veux que vous m'aimiez puisque je vous aime, sanglotai-je sans nul souci de logique et me mouchant à tire-larigot. Puis, sur le mur du cabinet payant, j'écrivis, tout reni-

flant, avec mon bout de crayon j'écrivis
d'enfantines bêtises telles que Soyez bons,
et même Aimez-vous les uns les autres,
ce qui était peu convaincant et n'arran-
geait rien. Ensuite, je pris dans ma poche
un bonbon qui me restait, et je le portai
à ma bouche pour avoir moins de peine.

Puis, las et vieux et mon foie déjà me
faisant mal, je m'étendis, Albert de dix ans,
je m'étendis tout du long par terre, sur
le ciment sale, et je restai longtemps, les
yeux maintenant secs, en compagnie de
mes dix années de vie, la bouche hébétée,
en compagnie de mes petites années juives.
De temps à autre, ainsi gisant, je pronon-
çais un mot puissant, Salomonus ou Glix,
dans le sceptique espoir messianique, un
espoir neurasthénique et désabusé, que
ce mot aurait une action et supprimerait
mon malheur, ferait que le malheur ne
serait pas arrivé, ferait que le camelot

ne m'aurait pas chassé et que je serais maintenant content à la maison, avec mon trésor de Maman. Parfois, dans le même but, je faisais des gestes magiques avec la main happant le malheur, l'attrapant comme une mouche et l'écrasant. Mais je restais juif et misérable, étendu sur le ciment froid de mon petit camp de concentration. Un youpin, quoi. Un youpin par terre. Aucune importance. Ça ne souffre pas, les youpins.

Et la révélation me vint soudain que plus tard, oui, plus tard, lorsque je serais grand, je me vengerais plus tard d'une manière illustre et délicate. Je jurai que, lorsque je serais grand, je leur dirais, du haut d'une montagne, je leur dirais ce qu'ils m'avaient fait quand j'étais un enfant sans défense. Oui, je leur raconterais tout, et ils pleureraient de remords, et je leur pardonnerais avec une immense bonté souriante quoique majestueuse, et nous nous embrasserions, gentils à jamais. Pauvre petit imbécile.

C'est pour tenir ma promesse à l'enfant de dix ans que morosement j'écris ces pages sans espoir. Car je sais que les hommes ne pleureront pas après m'avoir lu et qu'ils ne m'aimeront pas plus qu'avant. Au contraire, ils trouveront mon histoire assez antipathique, et certains feront de l'ironie. Je les connais, je connais l'espèce, et je sais que le vieux souhait m'attend toujours sur les terribles murs, le vieux souhait de mort.

XXVIII

Lorsque je me décidai à sortir, je donnai tout mon argent à la tenancière des toilettes qui, indignée de ma longue station, avait frappé haineusement à la porte et m'avait demandé, divinité courroucée, si c'était pour aujourd'hui ou pour demain que je sortirais et si c'était que je faisais mes prières ou quoi? Je lui donnai princièrement tout mon petit argent, pour l'apaiser ou pour me venger et la punir, elle aussi. Sorti dans la rue, j'allai, les yeux méfiants, sans savoir où. Mon héréditaire errance avait commencé. J'étais devenu un juif et j'allais, un sourire léger et quelque peu hagard aux lèvres tremblantes.

Soudain, j'aperçus un Mort aux juifs à la craie sur le mur. Je frissonnai et je m'enfuis. Mais au tournant de la rue, un autre Mort aux juifs. Ils voulaient ma mort! Comment n'avais-je pas vu ces trois mots sur les murs auparavant? Traqué par les souhaits de mort, je baissai les yeux pour ne plus les voir.

Dans la rue déserte, j'allais, les yeux baissés. Mais parfois, à la dérobée, je levais les yeux et je lançais un vif regard en stylet vers les murs, avec la terreur de voir les trois mots, mais aussi avec une sorte d'espoir de voir les trois mots et une satisfaction étrange si je voyais les trois mots, cette devise d'amour, d'amour du prochain, leur amour.

XXIX

Mort aux juifs, me répétais-je dans la rue comme si désormais ces trois mots étaient les seuls mots naturels de mon âme. Soudain, des pas, des chants, et je me cachai derrière une vespasienne. Avec un sentiment de culpabilité, défendu par ma citadelle aux verts relents mélancoliques, je considérai ces étudiants, en niais bérets de velours, fine fleur d'intellectualité et fils de leurs papas, qui passaient en gueulant, sûrs du lendemain, trouvant naturel d'être heureux, ne craignant pas de gueuler et d'attirer l'attention, car ils étaient chez eux, forts d'être dans leur pays à eux. Moi, j'étais un étranger faible

et c'était peut-être pour ça qu'on me détes-
tait. Ils étaient gais et j'étais triste, si vieux,
si fatigué, déplumé, un rossignol cassé.
Oh, ces étudiants en liesse, vulgaires de
jeunesse, ces chanceux savaient ce qu'ils
seraient demain, notaires ou médecins
ou officiers ou fonctionnaires, heureux
mariés demain à des heureuses, portés
tendrement du berceau à la tombe par
leurs parentés, leurs alliances, leurs amitiés,
leurs relations, leurs institutions, leur patrie.
Bien sûr, j'étais trop petit pour me dire
clairement tout ça, mais je sentais que tout
leur serait facile plus tard et que tout me
serait difficile.

Se tenant par le bras, les étudiants
s'étaient arrêtés et avaient entonné un
chant où il était question de trois orfèvres
venus dîner chez trois autres orfèvres,
chant que je ne compris pas, mais que je
devinai vil. Derrière ma vespasienne, je

les regardais avec envie, de nouveau mélancoliquement me balançant à la manière
de mes pères, me balançant d'arrière en
avant et d'avant en arrière, comme pour
un rabâchage immémorial. Ils étaient heureux, ces étudiants. Méritaient-ils leur
bonheur ? Mécaniquement me balançant,
je mâchais neurasthéniquement de l'air,
et la vie avait mauvais goût. Ensuite, titu-
bants et hilares, fraternels, toujours se
tenant par le bras, ils gueulèrent un autre
chant de bourgeoise allégresse, gueulèrent
Vive les étudiants ma mère vive les étudiants
ils ont des femmes et pas d'enfants vive
les étudiants, et je me sentis réconforté.
C'était bien qu'il n'y eût pas que des juifs
au monde, qu'il y eût du bonheur pour les
autres. Me consolant de mon malheur
avec le bonheur de ceux d'en face, je repris
mon errance.

XXX

J'avais quitté les petites rues et je flottais solitairement le long de la Canebière,
me parlant à moi-même, me donnant de
courageux et sensés conseils, et me faisant
des gestes de réconfort dans la large
rue vivante en cet après-midi ensoleillé,
rue bruissante de grands cafés dont les
terrasses absinthées fourmillaient de cen-
taines qui gesticulaient avec bonheur et
me considéraient malveillamment et échan-
geaient des sourires significatifs. Tous,
ils se retournaient et ils se signalaient
les uns aux autres que le juif était là et
gare, fermez vos portes à double tour!
Je reconnaissais tous ces gens, c'était

ceux du camelot. Oh, qu'ils étaient heureux, ces méchants, oh, qu'ils étaient
méchants, ces heureux!

Oh, une épidémie pour leur ôter cette
assurance qu'ils avaient, tous ces heureux
dans les cafés! Non, pas d'épidémie, me
rétractai-je aussitôt, je n'étais pas comme
eux, moi, je n'étais pas un méchant, moi.
Ou bien, avec un pistolet, un pour jouer
mais bien imité, les menacer, menacer
tous ces assis, leur faire peur, et leur dire
Aimez-moi ou je vous tue! Assez, ne plus
m'occuper d'eux. Que m'importaient ces
singes habillés qui se prenaient au sérieux
sur leurs deux pattes? Un barbu aux doigts
bagués lançant des feux blancs bleutés rica-
na C'est un juif et c'est tout dire, mon
cher! Je le suppliai du regard et je m'enfuis
avec, angoisse battante au haut de ma
poitrine, le péché de ma naissance.

XXXI

Devant le Café Glacier, un aveugle pourvu d'un petit orgue triturait un air, ma nue mélancolie. Je m'arrêtai, sentant confusément un lien entre ma misère et la misère de ce malheureux, mais je n'eus pas le courage de lui parler et je repris ma marche, balançant ma serviette et mécaniquement récitant. Attention, ne pas s'ennuyer. La douleur profite de la première fissure d'ennui et s'insinue avec son cortège. Pour avoir un intérêt à vivre, pour oublier ce que j'étais, je pressai le globe de mon œil droit, ce qui fit une illusion d'optique, et je vis deux rues, une vraie en haut et à gauche empiétant sur

une moins vraie, en bas et à droite. Un
petit amusement. On fait ce qu'on peut.
Puis j'allai, l'œil gauche bien fermé, borgne
pour me divertir. Autre analgésique. Puis
je chantonnai, je bourdonnai que je n'étais
pas malheureux, que ça m'était bien égal
ce que le camelot avait dit, que j'avais
Maman qui m'aimait, et que c'était assez.

Pour ne pas voir mon mal, je chantonnais sans arrêt, je chantonnais à la manière
des étudiants, je chantonnais Vive les
juifs ma mère vive les juifs ils sont
méchants ils aiment l'argent vive les juifs
méchants! Je chantonnais aussi que Dreyfus
était mon copain, mon seul copain, et
qu'il m'aimait, comme un tendre frère
m'aimait. Ou encore, imbécile de détresse,
je baragouinais à haute voix, je disais
le crapaud de la pacrie au lieu de le drapeau
de la patrie, la Tatarseillaise au lieu de la
Marseillaise, j'estropiais des mots pour

passer le temps, pour croire que j'étais
gai, peut-être pour tristement me venger.

Tout à coup, je m'arrêtai devant le
Café Turc, et je regardai, hébété. Est-ce
que c'était arrivé, le camelot? Est-ce que
c'était vrai, la Canebière, est-ce que ça
existait? Et les hommes, est-ce qu'ils
étaient vivants pour de bon? Avec mon
cerveau de petit chiot, je cherchais le
grand secret. Oui, pourquoi tout ça, pourquoi le malheur, pourquoi cet autre mendiant que les gras assis au café ignoraient,
pourquoi ce chanteur ambulant que personne n'écoutait, et pourtant il mettait
tant d'amour à bien chanter, pourquoi
moi tout seul dans cette Canebière, bien
après le couronnement de Charlemagne,
tout seul et petit, sans amis, détesté de
tous, et qu'étais-je venu faire en ce monde,
et pourquoi, pourquoi étais-je un juif?

XXXII

Des voix me crièrent de filer, me crièrent
qu'on n'aimait pas les juifs par ici, et les
tables des terrasses haineuses carrousellè-
rent autour de moi, et cette ronde prit une
vitesse menaçante, et il n'y eut plus de
tables mais des stries courbes et grises qui
filaient infiniment, vertigineusement immobiles, et le sol était élastique, ondulant,
et je m'y enfonçais. Je changeai de trottoir
et je m'adossai à un mur, près du cinéma
Max Linder. Aimez-moi, murmurai-je,
les yeux fermés, aimez-moi, murmurai-je,
mendiant d'amour, cependant que les heureux passaient.

Sorti du vertige, je sentis que parler
à des gens me guérirait, et je repris ma
marche. Je m'arrêtai devant un kiosque
à journaux, dans l'espoir de lier conversation avec deux obèses qui lisaient gratis
des journaux placardés. Je m'approchai
et je lus à mi-voix, en souriant pour être
naturel. Soudain sûr de la réussite, je
frôlai un des deux pour qu'il s'aperçût
de ma présence, mais il s'écarta.

Aucun des deux gras ne se souciant de
moi, je fis des avances. Prenant pour
prétexte la photographie d'un dirigeable,
je décrivis, petit ridicule, l'avenir de cette
invention et la fraternité qu'amèneraient
les facilités futures des communications.
Mais j'étais trop doux, trop souriant,
trop visiblement désireux d'intéresser, effé-
miné de malheur et de tendresse, trop

pressé de plaire et d'être aimé, et je parais-
sais suspect. Trop pressé aussi de dire des
choses intelligentes, ce que je croyais
devoir m'attirer l'amour. Si affamé d'amour,
pauvre petit bougre, que j'en devenais
repoussant. Mon sourire aimant surtout
devait les gêner. Oh, cette imbécillité de
croire que si on était intelligent et tendre
on ne pouvait pas ne pas être aimé. Je ne
savais pas encore que les hommes n'aiment
que la force qui est en fin de compte
pouvoir de tuer. Je sentais l'hostile méfiance
des deux bonshommes, je sentais que je
sombrais, mais je continuais à parler, à
parler tout seul, sans une réponse, persistant
à espérer, espérant faire un grand coup en
leur parlant d'Icare, désespérément essayant
de les intéresser en leur racontant l'aventure
du fils de Dédale. Tandis que je sortais ce
que je venais de lire dans un livre, mon
âme secrètement suppliait ces deux terribles
muets de me répondre, de m'aimer. Ils
partirent ensemble et je les entendis rire.

Je ne me reconnus pas vaincu et je me
mêlai à un groupe pour essayer de discuter
aussi, comme eux, de l'arrestation du
matelot emmené par deux agents de police.
Comme eux, en être, fraterniser, être aimé,
être aimé surtout. Je demandai à l'un des
badauds, maladroitement, d'une bouche
contractée de nervosité, pourquoi le matelot
avait été arrêté, mais je ne pus m'empêcher
de sourire tendrement en posant cette
question. Perdu! Affreux sourire qui me
perdait! L'homme me regarda attentive-
ment, sans mot dire, et je m'esquivai.
Il avait deviné! Plus loin, pour me rendre
normal, pour guérir, je saluai un monsieur
honorable, comme si je le connaissais,
et je filai aussitôt, effrayé.

XXXIII

Las de tant marcher, j'allais machinalement, monotone excommunié, et mon
corps m'était étranger, remuait sans moi,
et mon crâne me brûlait, et je scandais
des récitations maniaques en gesticulant
du bras droit, et j'entendais des allusions,
et des regards me surveillaient, et des
doigts aux fenêtres me désignaient, et
des voix me disaient de filer, et j'étais
suivi par la naine fardée, en robe de soie
jaune et escarpins dorés, la naine privée
de cou, Nina bringuebalante aux jambes
musclées, et j'entendais sa respiration
derrière moi, et elle combinait de sauter
sur moi pour me mordre à la nuque ou

m'embrasser, et je savais que ce n'était pas vrai, qu'elle n'existait pas, mais j'avais peur et je n'osais pas me retourner.

Mon ami, mon amour, murmurai-je, et je m'arrêtai, je me secouai, je passai ma main sur mon front pour n'être plus malade, et je me rappelai que j'avais dansé tout à l'heure devant cette église, au haut des allées de Meilhan. Oui, c'était vrai, j'avais dansé en levant les mains vers le ciel, puis en les baisant parce que Dieu les avait regardées, oui, j'avais dansé un peu devant l'église et toutes les bontés du monde, mais les gens n'avaient pas deviné, j'avais calculé mes gestes et bien caché mon jeu. Oui, retourner à l'église, danser en grand secret, c'était le salut.

XXXIV

Devant l'église, je restai à la considérer, à lui sourire, à l'aimer. Oui, pensai-je, une maison de bonté, cette église, et tous ôtaient leur méchanceté en entrant, ils la déposaient peut-être chez la dame du vestiaire de l'église, et la dame leur donnait un numéro, et en sortant ils lui rendaient le numéro et ils reprenaient leur méchanceté pour toute la semaine, et à peine sortis de l'église ils se dépêchaient de détester les juifs, et peut-être que la dame du vestiaire leur avait loué une bonté pour la durée de la messe et en sortant, oui, ils lui rendaient la bonté et ils reprenaient leur méchanceté.

Oui, pensai-je, quand ils étaient dans leur église, ils se sentaient gentils, ils croyaient qu'ils étaient gentils, parce qu'ils chantaient gentiment tous ensemble une chanson gentille, une chanson de grande gentillesse, et pendant ce temps ils étaient peut-être vraiment gentils, mais ensuite ils sortaient de l'église, et c'était fini, ils n'étaient plus gentils dehors, et même ils couraient vite écrire Mort aux juifs sur les murs.

Non, elles n'étaient pas vraies, toutes ces idées, elles étaient des petites bêtes dans le dedans de ma tête, des petites bêtes craquantes croquantes qui me faisaient mal, des petites bêtes menteuses qui tournaient en rond, et puis peut-être que c'était seulement ceux qui n'étaient pas vraiment catholiques qui détestaient les

juifs, qui écrivaient sur les murs. Oui, les
vrais catholiques étaient très bons, sûrement. Assez, assez, danser maintenant.

Danser encore, oui, danser pour Jésus
qui était en face, dans l'église, Jésus
qui était bon, lui, tellement bon, il aimait
même les méchants. Moi aussi, je les
aimais, mais un peu seulement. Oui,
danser pour Jésus qui jamais ne m'aurait
chassé, lui, danser longtemps en regardant
le ciel d'où Jésus me verrait, Jésus qui
jamais ne m'aurait chassé.

XXXV

Assez, assez de ces choses pas vraies,
assez, ne plus danser, c'était de la maladie,
c'était dangereux, surtout si on écartait
les bras. Vite, retourner devant le Café
Glacier, parler à l'aveugle de l'orgue,
le prendre par le bras. Parlons ensemble,
dites-moi votre malheur, je vous dirai
le mien, nous nous consolerons ensemble,
nous serons des amis. Oui, c'était le salut.
Les aveugles étaient malheureux, ils
devaient sûrement aimer les juifs, et
d'ailleurs le pauvre ne pourrait pas voir
mon visage, ce visage qui me dénonçait.
Mon ami, mon amour, murmurai-je, et
je me hâtai vers l'aveugle qui ressemblait
à Jésus.

Je m'arrêtai, certain tout à coup que je
ne retrouverais pas l'aveugle. Il était sûrement parti, il faisait sa tournée de mendiant,
je l'avais perdu, j'avais perdu mon ami.
Courage, ne pas désespérer. Immobile,
je tourmentai une de mes boucles pour
mieux réfléchir, la défaisant, la refaisant,
la tirant fort, arrachant quelques cheveux,
cherchant un moyen, un remède. Écrire
une poésie très belle? Une poésie où
j'expliquerais que nous n'avions pas changé
depuis les prophètes, que nous n'étions
pas mauvais comme la gale, et puis que
nous avions écrit la Bible, et les Dix Commandements aussi, et puis que je voudrais
tellement être ami avec les chrétiens.
Laissez-moi vous aimer, ainsi commen-
cerait la poésie, une poésie si belle que tous
auraient pitié, et ils m'aimeraient.

Je portai ma main à mon front pour soutenir ma tête, soudain lourde. Non, je ne saurais pas, la poésie ne serait pas assez belle, et jamais ils ne m'aimeraient. Eh bien tant pis, je me passerais d'eux et je serais heureux avec Maman, je sortirais avec elle le dimanche, on se promènerait, on ferait le tour de la Corniche, on pique-niquerait, et même on irait au théâtre ensemble, aux matinées du dimanche, et quand je serais grand on voyagerait, elle et moi, on verrait des pays ensemble, et on n'aurait besoin de personne. Viens, mon chéri, me dis-je à moi-même, et je repris ma marche, souriant, sans cesse souriant pour essayer d'être heureux.

XXXVI

J'errais, les yeux vagues, et je me disais et me redisais qu'il aurait été si simple, si simple de ne pas aller écouter le camelot, que j'aurais tellement pu, tellement pu ne pas aller écouter le camelot, tellement pu ne pas aller à mon malheur. Oh, pourquoi, pourquoi étais-je allé à mon malheur? Oh, juste une minute avant d'aller écouter le camelot, j'aurais pu décider de ne pas aller écouter le camelot, et alors tout serait si bien, si bien maintenant, et je serais heureux, et ce soir il y aurait eu le dîner de mes dix ans. Oh, Dieu aurait dû m'empêcher d'aller écouter le camelot. Il aurait dû arranger un accident et faire que je me

serais tordu le pied, et alors je ne serais
pas allé écouter le camelot, je serais rentré
à la maison, et je serais heureux maintenant, si heureux avec Maman, et je
parlerais tellement avec elle, ma Maman,
mon bonheur, et je ne serais pas allé à
mon malheur.

J'errais, les yeux agrandis et la bouche
entrouverte, j'errais, stupéfait de découverte, et soudain je me disais que non,
ce n'était pas vrai, c'était seulement une
idée, le malheur n'était pas arrivé, je
n'étais pas allé écouter le camelot, c'était
seulement une invention dans ma tête,
et je fermais les poings pour le croire,
mais je savais que ce n'était pas une idée, que
c'était vrai, que le malheur était arrivé.

J'errais et je suppliais Dieu, je Lui
demandais un miracle, le miracle de n'être

pas allé écouter le camelot, je demandais
à Dieu de faire reculer le temps, je Lui
demandais de me ramener à la minute
d'avant la décision d'aller écouter le camelot, et ainsi je pourrais décider de ne pas
aller écouter le camelot, et le malheur
ne serait pas arrivé, et je serais heureux
ce soir à la fête de mes dix ans. Dieu,
cher Dieu, Lui disais-je pour L'amadouer.
Mais je savais qu'Il n'aurait pas pitié,
que je n'étais pas assez important, et je
continuais ma marche, chantonnant faux
pour remplir le vide, et en somme tant
pis, tant pis d'être allé écouter le camelot,
puisque de toute façon j'aurais bientôt
appris ce que j'étais, appris de quelque
autre méchant, appris que j'étais un maudit, mauvais comme la gale, sangsue du
pauvre monde.

XXXVII

J'errais, accablée sangsue du pauvre
monde, j'errais avec un mal au haut
de ma poitrine, j'errais, de temps à autre
changeant de main ma serviette d'écolier,
j'errais, faisant des grimaces pour être
mauvais comme la gale, j'errais, faisant des
contorsions de la bouche pour funèbrement
dévorer des louis d'or, et soudain j'eus
la révélation de mon destin. A la maison,
toujours seul à m'amuser, sans jamais
un ami venu jouer avec moi, toujours
seul à jouer, toujours seul à être un
colonel devant l'armoire à glace, toujours
seul à sauver la France devant l'armoire
à glace. A la foire de la Plaine, toujours

seul, regardant les autres enfants jouer
sans moi, m'en consolant par un solitaire
chou à la crème ou par de solitaires balan-
cements dans les balançoires payantes de la
foire ou par de solitaires tours au manège
des chevaux de bois, pour me réconforter
toujours choisissant le cheval hardi, celui
qui montait et descendait tout en tournant
autour de l'orgue limonaire. Le jeudi,
toujours seul dans les rues, solitairement
suivant et aimant les officiers français,
des généraux ou des colonels, qui
ne m'aimaient pas, ne m'aimeraient
jamais.

Oui, toujours seul, et maintenant je
savais pourquoi. On n'aime pas les juifs
par ici, avait dit le camelot, c'est une
sale race, avait dit le camelot, et Viviane
c'était fini, fini pour toujours, elle était
chrétienne, elle ne pouvait pas m'aimer,
elle ne m'aimait plus, et mon âme Char-

mant c'était fini aussi, l'oncle Armand
m'avait menti, je le savais maintenant,
et Dieu aussi était un menteur, Il disait
qu'Il nous aimait, ce n'était pas vrai.
Menteur, Lui dis-je en Le regardant
là-haut.

XXXVIII

Oui, toujours seul et jamais aimé, murmurais-je, sans trêve allant, toujours juif,
juif toute ma vie, murmurais-je, et je
toussais, haï des humains et les aimant,
je toussais fort pour sortir ma peine,
peut-être pour la proclamer et me faire
à moi-même pitié, peut-être aussi pour
attirer l'attention. Mais les heureux passaient, d'eux-mêmes occupés. Entrer dans
cette pâtisserie et manger des gâteaux?
Non, ce bonheur ne durait pas, il finissait
dès qu'on avait fini les gâteaux. Il faudrait
pouvoir manger des gâteaux tout le temps,
manger à en mourir.

Je tressaillis et m'arrêtai. Oh, ces deux
ouvriers gentiment assis ensemble sur une
marche à l'entrée de la maison, deux
maçons, ils se reposaient, leur travail
terminé, ils fumaient ensemble, ils cau-
saient en amis, ils se souriaient, comme
c'était beau, et tout à l'heure en se
quittant ils se diraient au revoir, à demain,
bon appétit, comme c'était beau, ils se
serreraient la main en se regardant, en
se souriant encore, en s'aimant, comme
c'était beau! Au revoir, Albert, à demain,
murmurai-je, et ma main droite serra
ma main gauche, et je repris ma marche.

XXXIX

J'allais, évitant de regarder les murs,
sifflotant faux pour être résolu. Oui, c'était
décidé, avoir des amis, m'ordonnai-je avec
l'index de commandement, avoir des amis
qui m'aimeraient, mais pas des amis
inventés, des garçons vrais qui seraient
des amis vrais, j'irais les chercher à la
synagogue, et ils viendraient à la maison
jouer avec moi, et je ne serais pas seul.

Je m'arrêtai devant la porte d'un immeuble à cariatides, et je fermai les yeux
pour voir ce qui se passerait. Non, ça
n'irait pas, nous saurions pourquoi nous

étions forcés de jouer entre nous, rien que des enfants de notre religion, nous saurions pourquoi, nous saurions que c'était parce qu'on ne voulait pas de nous, et nous n'aurions pas envie de jouer ensemble, nous resterions à réfléchir, la tête baissée, puis à la relever et à nous regarder sans parler, des enfants juifs, à regarder notre malheur. Eh bien, tant pis, vivre seul, décidai-je, et je poussai la porte du bel immeuble, et j'allai m'asseoir au bas de l'escalier de marbre pour penser et pour construire ma vie à venir.

XL

Oui, vivre seul, décidai-je, assis sur une marche du somptueux escalier, vivre seul, être heureux tout seul, être heureux avec moi, ne plus avoir besoin d'eux, ne plus jamais sortir dehors, rester toujours dans ma chambre, bien l'arranger, la tenir toujours en ordre, avec des fleurs, et elle serait mon pays, un pays où je serais heureux, ma petite France à moi, avec beaucoup de livres français qui seraient mes amis. Oui, mon Albert, me dis-je à voix haute pour n'être pas seul, oui, c'est la bonne décision, crois-moi, ce sera le bonheur, tu verras, et de nouveau je serrai ma main gauche avec ma main droite, une poignée d'amitié. Acheter un chien peut-être? Il resterait auprès de moi pendant que je lirais, il me regarderait avec des yeux d'amour. Non, pas de chien. Un chien, il faudrait le sortir, et dehors il y avait les méchants, il y avait leurs murs.

D'accord, décidai-je, ne plus jamais sortir, rester toujours enfermé dans ma chambre, enfermé à clef dans ma chambre, ce serait le bonheur, fermer les volets même le jour, pour ne pas voir le dehors, tirer les rideaux aussi, pour ne rien laisser entrer du dehors, et m'éclairer avec la lampe à pétrole même le jour, et lire toute la journée dans mon petit pays à moi, sous la douce lumière de la lampe à pétrole, lire tous les livres des grands écrivains français, bien enfermé dans ma chambre, dans ma chambre j'aurais le droit de lire leurs livres, et les grands écrivains français seraient mes amis et ils m'aimeraient, dans ma chambre j'aurais le droit, et je lirais leurs livres tous les jours dans ma chambre, dans mon petit pays à moi, ma petite France, le pays des volets fermés, le pays des livres, je les lirais sous la lampe toujours allumée, près du rond jaune de l'abat-jour, loin des rues, loin des murs, dans ma chère petite France à moi.

Ayant ainsi décidé de ma vie à venir, je me levai, et sur ma main je déposai un baiser, peut-être un baiser à ma petite France à moi. Ainsi en ce jour de mes dix ans, et je repris ma marche sur le chemin de ma vie.

XLI

Au haut du cours Belsunce, apercevant une inscription à la craie, je détournai le regard pour ne pas savoir, mais je me retournai aussitôt, invinciblement attiré, et je me repus du souhait de ma mort, écrit peut-être par un bon fils. Le dos courbé, lourd de ma naissance, je repris mon errance, les yeux baissés afin de n'être pas repéré, baissés mais subreptices guetteurs de dangers, soudain les faisant éberlués et ronds pour passer le temps, soudain lançant des regards chercheurs vers les murs, chasseur à l'affût des clameurs de meurtre, sans cesse les guettant, désespérément m'en délectant, soudain enviant

deux lieutenants qui allaient avec la gaieté
de certitude, persuadés de la légitimité
de leur existence, parlant à voix haute,
sans crainte d'attirer l'attention. Ils seraient
colonels, eux, un jour. Je pressai le pas
pour ne plus les voir, ne plus en souffrir.

XLII

A un tournant de rue, je m'arrêtai
devant la glace d'un magasin et je fus
effrayé par cet enfant effrayé qui me
regardait, tête basse et yeux levés,
antipathique de malheur, repoussant de
malheur, et je le détestai, l'aimant de
pitié, et je le regardai avec une rage de
rancune. Tu es un sale youpin, hein?
lui dis-je, je vois ça à ta gueule, tu peux
filer, c'est pas ton pays ici. Je filai pour
ne plus me voir dans la glace, ne plus
voir ces yeux trop grands aux longs cils
recourbés, yeux étoilés, fastueux compa-
gnons venus du fond des âges, pauvres
maudits.

Mort aux juifs, me hurla un mur, et je m'échappai, mauvais comme la gale et sangsue du pauvre monde, tout transpirant, remuant les lèvres, et soudain, les paumes en appel vers le ciel, ridiculement demandant à Dieu de leur ordonner d'être bons, de n'écrire plus, de n'écrire plus sur les murs. S'il vous plaît, Dieu, suppliai-je.

XLIII

Et si j'entrais chez ce coiffeur? me demandai-je au bas de la rue de Rome. Je le payerais et il s'occuperait de moi, il s'intéresserait à moi puisqu'il ne saurait pas ce que j'étais. Non, impossible, j'étais allé hier me faire couper les cheveux. Il faut que tu sois bien coiffé demain pour le jour de tes dix ans, m'avait dit ma mère. Ou plutôt aller chez un médecin, faire semblant d'être malade. Je le payerais et il m'interrogerait gentiment, il mettrait son oreille contre ma poitrine, je verrais ses cheveux si propres, sentant bon, avec une raie bien faite, et puis il écrirait une ordonnance pour moi, on serait un peu

amis puisqu'il ne saurait pas. Mon ami,
mon amour, murmurai-je. Non, impossible, je n'avais plus d'argent pour le
payer. Je ricanai, soudain adulte. Tiens,
tiens, me dis-je, eux aussi aiment l'argent!
Une cigarette éteinte au coin de l'oreille,
un agent de police à rouflaquettes me
considéra. Je pris un air innocent, je
sifflotai en impeccable, et je changeai de
trottoir.

Un homme devant une affiche. Je m'arrêtai et je lus l'affiche à mi-voix, dans l'espoir
qu'il la commenterait avec moi, ce qui
me sauverait. Mais il ne voulut pas.
Je dégoûtais tout le monde! O vous autres,
ne voyez-vous pas que je ne peux pas
vivre sans vous, ne voyez-vous pas que
je vous aime, ne voyez-vous pas que je
vais en mourir? criai-je ridiculement en
moi-même. O vous autres, aimez-moi,
aimez-moi car je vous aime! criai-je ridi-

culement en moi-même. File, on n'aime
pas les juifs par ici! Je filai, accompagné
par notre vieille mère Douleur, mère
auguste des juifs.

XLIV

O solitudes, ô attentes d'amour, ô juifs
sourires, pauvres sourires excessifs qui
espèrent par l'amour attirer l'amour, ô
tendresses ratées de mes frères souriant
trop et approuvant trop, ô chrétiennes
méfiances devinées, ô froideurs et circons-
pections, ô déboires et sueurs d'outrages
endurés, ô prestes regards, éclairs sous
les paupières et vifs aciers furtifs, regards
vers les murs et leurs haines et leurs cris
assassins, blessés regards aussitôt baissés,
ô dos résignés, dos porteurs de douleurs,
dos courbés par les peurs et les fuites
et les courses haletantes le long des siècles
et des ruelles dangereuses, dos voûtés sur

le Livre, séculairement sur notre sainte
Loi, ô humiliations bues et hontes tues,
ô nos tristes yeux qui savent, yeux de
l'attente du malheur, yeux connaisseurs,
yeux mécréants et payés pour l'être,
yeux de royal savoir et désenchantement,
ô nos mélancoliques lucidités, ô désabusés
rictus aux commissures, ô moqueries et
ironies d'amour déçu, pitoyables vengeances
des souffrants, ô larmes, les secrètes, celles
qui sont derrière les sourires ou sur les
pages des solitaires, ô toutes nos larmes,
larmes intarissables à travers les âges, larmes
des martyrs et des témoins, innombrables
larmes d'Israël, purs diamants de sa
cabossée couronne.

XLV

O mon peuple et mon souffrant, je
suis ton fils qui t'aime et te vénère, ton
fils qui jamais ne se lassera de louer son
peuple, le peuple fidèle, le peuple courageux, le peuple à la nuque raide qui dans
sa sainte colline a tenu tête à Rome des
Césars et durant sept années a fait trembler
le plus puissant des empires. O mes héros,
les neuf cent soixante assiégés de Massada,
suicidés le premier jour de la Pâque de l'an
soixante-treize, tous suicidés plutôt que de
se rendre au vainqueur romain et d'en
adorer les méprisables dieux.

O dans les captivités en tant de terres étrangères mes faméliques errants traînant leur tenace espoir au long des siècles et à jamais refusant de se fondre et se perdre parmi les nations de l'exil. O mon peuple de fierté, jalousement voulant sa survie et garder son âme, peuple de la résistance, de la résistance non pendant un an, non pendant cinq ans, non pendant dix ans, non pendant vingt ans, mais peuple de la résistance pendant deux mille ans, et quel autre peuple ainsi résista ? Oui, deux mille années de résistance, et qu'ils en prennent de la graine, les autres peuples.

O tous mes pères au long des siècles qui ont préféré les massacres à la trahison et les bûchers au reniement, mes pères dans les flammes proclamant jusqu'à leur dernier souffle l'unité de Dieu et la grandeur de leur foi. O tous les miens du moyen âge qui ont choisi la mort plutôt que la conversion, qui l'ont choisie à Verdun-sur-Garonne, à Carentan, à Bray, à Burgos, à Barcelone, à Tolède, à Trente, à Nuremberg, à Worms, à Francfort, à Spire, à Oppenheim, à Mayence, à travers l'Allemagne depuis les Alpes jusqu'à la mer du Nord, tous mes vaillants qui égorgeaient leurs femmes et leurs enfants puis se tuaient, ou confiaient au plus digne la mission de les tuer l'un après l'autre, ou mettaient le feu à leurs maisons et se lançaient dans les flammes en tenant leurs enfants dans leurs bras et en chantant des psaumes à l'Éternel, notre Dieu.

O mes pères obstinés qui pendant des siècles ont accepté une vie pire que la mort, vie d'abaissement, vie d'ignominie, saint abaissement, sainte ignominie que leur valait leur arrogance à garder leur

foi en un Dieu un et saint, et de cette
arrogance un pape Innocent III les châtie
en leur imposant le port de la rouelle,
leur défend sous peine de mort de se
montrer dans les rues sans l'insigne cousu
sur leurs vêtements, insigne infamant qui
les expose en Europe pendant six siècles
à la raillerie et aux insultes, marque visible
de honte et d'infériorité, marque toujours
présente par quoi la foule est invitée à les
accabler de ses outrages et de ses violences.
O amour du prochain.

O mes pères souffrants, mes tourmentés.
Mais ce n'est pas assez d'amour du prochain, et cinquante ans plus tard, le
Concile de Vienne estime que la rouelle
n'avilit pas assez, et il décide de nous
ridiculiser davantage, nous impose le port
d'un chapeau comique qui doit être pointu
ou en forme de cornes. Ainsi affublés,
ainsi châtiés d'être les mainteneurs du

Dieu un, nous sommes allés à travers les contrées, extravagants et difformes en notre glorieuse prêtrise, nous sommes allés, angoissés, apeurés, tenaces, moqués, insultés, coriaces, nous sommes allés, patients, grotesques, sublimes, sublimes en chapeaux pointus ou cornus, et les foules riaient, nous sommes allés, marqués, désignés, repoussés, de tous stigmatisés, roués de coups, burlesques cibles pour les outrages, j'en ai mal au foie et brûlure aux yeux et clous dans le cœur, nous sommes allés, couverts d'immondices, nous sommes allés, épaules affaissées, dos voûtés, yeux méfiants, nous sommes allés en loques, humbles de contenance, orgueilleux en notre âme, faméliques princes en esclavage, nous sommes allés au long des siècles, hérauts dépenaillés du Dieu véritable, porteurs de notre sainte Loi, harpe sonnante à travers le noir ouragan des âges, et les chapeaux pointus ou cornus du concile chrétien étaient nos couronnes d'élection. Hosanna.

XLVI

Je flottais dans les rues, fleuves nour-
riciers des isolés, parfois faisant quelque
signe cabalistique, parfois murmurant leur
Mort aux juifs et leur demandant pourquoi
et quel mal leur avais-je fait, parfois murmurant une tendresse, idiote tendresse,
tendresse à personne, parfois souriant à un
ami inventé, un garçon chrétien qui viendrait à la maison jouer avec moi le jeudi,
parfois lugubrement chantonnant Sale juif
sur l'air des lampions et battant la mesure,
parfois demandant un renseignement, censément pour savoir comment rentrer à la
maison, en réalité pour être traité comme
une créature.

Aboulique et maboul, balançant ma
serviette d'écolier, je ruminai des projets
mort-nés. Arrêter cet homme qui avait
l'air gentil et lui avouer mon malheur?
Peut-être ce curé plutôt, qui sait, peut-
être qu'il me bénirait, et puis il m'embrasse-
rait. Concentrer ma volonté sur ce passant
devant moi? Si j'arrivais à la concentrer
très fort, il se retournerait et je pourrais
tout lui dire et il comprendrait. Ou plutôt
monter sur ce banc et réciter le poème de
Victor Hugo sur la France éternelle, celui
qui commençait par Ceux qui pieusement
sont morts pour la patrie, le beau poème
qui enthousiasmerait les gens accourus,
et ils m'applaudiraient, m'aimeraient. Je
montai sur le banc, puis j'en redescendis.
Non, écrire au pape plutôt. Oui, tout
raconter au pape, il était très sage et très
bon, il ordonnerait à ses fidèles de ne plus
nous faire du mal. En pensée, l'index

traçant les mots sur de l'air, ma manie
de solitude, je rédigeai le brouillon d'une
lettre au pape. Puis j'imaginai que je
racontais mon malheur à un colonel en
larmes qui me faisait présenter les armes
par son régiment. Ou plutôt non, le colonel
ordonnerait à son régiment de pleurer
sur mon malheur et pendant que je passerais les soldats en revue il leur crierait
d'une voix forte Présentez larmes! Ainsi,
pendant des secondes, ainsi piteusement
m'amusai-je par mortelle tristesse.

XLVII

La tête basse, j'allais d'un pas traînant, remuant de nouveaux projets et vaguement gesticulant. Aller revoir le camelot et lui parler de Maman? Lui en parler si bien qu'il me demanderait pardon, les larmes aux yeux, et nous nous serrerions la main, ou même nous nous embrasserions peut-être. Ou plutôt changer de nom? Oui, changer de nom. Les chrétiens avaient bon cœur, le tout était de ne pas leur dire ce qu'on était. Oui, voilà, changer de nom. Non, impossible, il y avait ma tête. Et tout à coup je compris pourquoi, l'autre jour, la dame de la Plaine n'avait pas voulu me laisser jouer avec son petit garçon. Elle avait regardé ma tête. Ma tête, ma dénonciatrice, mon ennemie. Peut-être qu'un jour j'aurais un accident qui me ferait une tête un peu laide, et on ne me reconnaîtrait plus, et je serais heureux. Ou bien me convertir à leur religion, pour être accepté, pour être aimé? Si je devenais chrétien, on ne ferait plus attention à ma tête, ou peut-être que ça me la changerait un peu, à force de prier. Brusquement je poussai la porte d'une belle maison et, après m'être assuré que j'étais seul dans l'entrée et à l'abri de tous regards, je fis peureusement le signe de la croix, avec un sentiment de terrible péché trois fois le signe effrayant, signe des autres, mais il ne se passa rien, et je sortis mécréant comme devant. Ou bien apprendre le violon et devenir un violoniste célèbre? Je jouerais si bien que les gens me pardonneraient d'être juif, ils m'applaudiraient, ils m'aimeraient. Tant pis, il joue si bien, les gens diraient. Non, je

ne saurais pas jouer bien du violon,
c'était trop difficile, et comment savoir
juste sur quel endroit des cordes appuyer
les doigts de la main gauche, les doigts
qui bougeaient si vite tout le temps?
Non, faire plutôt semblant d'être fou.
Ainsi, ils me laisseraient en paix dans mon
asile d'aliénés, ils me détesteraient moins
puisque je serais enfermé, peut-être même
qu'ils m'aimeraient un peu.

XLVIII

Toujours errant, je me trouvai de nouveau aux allées de Meilhan. Accablé de
fatigue, je m'assis sur un banc et je suivis
du regard un jeune chien fort occupé
à être heureux, galopant de çà et de là,
avec de brusques crochets, ne sachant
pas où donner de la tête, tant de bonheurs
et odeurs l'attendant au bas de tant
d'agréables arbres, et comment choisir ?
Pour être heureux comme lui et me tenir
compagnie, je fis de petits aboiements,
et je me rappelai soudain l'histoire qu'on
avait racontée à ma mère, ce garçon pâtis-
sier qui avait étranglé un chiot, et il avait
dit qu'il avait eu envie de lui faire du mal

parce que c'était une petite bête faible. Eh bien voilà, pensai-je, moi aussi j'étais un chiot sans défense et alors on avait envie de me faire du mal. Sale chiot, sale chiot, murmurai-je, mort au chiot, mort au chiot, murmurai-je, ma tête baissée scandant ma litanie.

Brusquement, comme l'année passée à l'arrêt de La Plage, j'imaginai que j'allais recevoir le don de faire des bonds de dix mètres, des bonds qui me vaudraient l'intérêt et surtout l'affection de ces passants qui viendraient tous me féliciter. Je me levai donc et me mis en position de réceptivité magique, m'efforçant de ne porter nul obstacle à la grâce et de me rendre léger. Rien ne venant, je me haussai sur la pointe des pieds pour attirer le miracle des sauts immenses. On me bouscula et je perdis l'équilibre et la foi.

Allons, enfants de la patrie, murmurai-je machinalement, et je décidai de ne plus respirer afin de mourir et les punir. A cette fin, je me pinçai le nez entre le pouce et l'index, je serrai fort mes lèvres et je commençai à compter muettement pour m'encourager à mourir. A trente, étouffant, je rouvris la bouche, je libérai mes narines et je me remis honteusement à vivre. Oui, vive la France, parfaitement, et c'est mon affaire, dis-je d'un air provocant, et je m'en fus en dribblant une balle imaginaire, pour être viril, pour faire face à l'avenir.

XLIX

Qui sait, peut-être, me dis-je en sortant de l'église catholique où, agenouillé dans le silence odorant, j'avais une fois encore prié Dieu de les forcer à ne plus écrire sur les murs. Eh bien, on verrait, et s'il n'y avait pas de résultat, eh bien, honte à Dieu! Honte à Vous, je lui dirais en regardant le ciel. Honte à Vous, répétai-je machinalement, et dans l'espoir de quelque bonbon oublié je cherchai dans mes poches. Tiens, il me restait des sous. Si j'avais su, je les aurais mis dans le tronc de l'église, ça aurait peut-être aidé. Tant pis, trop tard. En somme, j'aurais dû chanter dans l'église, chanter tout bas le chant du cabri, le joli chant de notre Pâque, le chanter pour Jésus, ça lui aurait fait plaisir, ça lui aurait rappelé son enfance, quand il le chantait en famille, le premier soir de notre Pâque. Oui, j'aurais dû chanter le chant du cabri, ça aurait aidé aussi peut-être. Non, rien ne pouvait aider, je le savais, et toujours les murs demanderaient ma mort.

Mort aux juifs, mort aux juifs, répétais-je, et j'allais, happé par les vitrines, traî-nant mon cœur dans les rues de l'exil, parfois murmurant le chant du cabri, parfois avec l'index écrivant sur de l'air, écrivant les mots terribles et d'un accablé sourire les saluant, parfois me réconfortant en dialecte vénitien, langue des juifs de Corfou, parfois me caressant le front pour avoir une amitié, parfois murmurant mon ami, mon amour, parfois chantonnant le refrain de la romance entendue la veille,

la romance de l'ami perdu, parfois fredon-
nant une faible Marseillaise, parfois m'arrêtant devant la glace d'un magasin pour y
voir une compassion, parfois secouant et
faisant tinter les sous dans ma poche
pour me donner du courage, mais suffo-
quant de solitude.

L

Des arachides grillées. J'en achetai pour avoir une compagnie. On va vous manger, mes petites copines, dis-je aux arachides que l'Algérien avait mises directement dans ma poche et que je remuais autoritairement avec ma main dans leur prison, heureux de les sentir sous mes ordres, d'être leur maître. L'empereur des arachides, proclamai-je. Leur empereur, mais aussi leur frère, rectifiai-je, l'index levé. Oui, les arachides étaient mes petites sœurs, mes sœurs juives, et c'était bon de vivre avec elles, de n'être pas seul, de les aimer.

Je me consolais en mangeant des arachides et en me regardant, veule dans la
glace d'une vitrine, les mâcher tristement,
ces arachides, mon pâteux réconfort, ma
fréquentation, mes seules amies en ce
monde. Je me regardais, avili par le petit
bonheur triste de la nourriture solitaire,
avec dans la bouche la boue des arachides
mâchées, leur saveur basse. Les juifs
aiment les arachides parce que les arachides
aiment les juifs, proclamai-je idiotement.
On n'est pas spirituel quand on souffre.

Je puisais lentement dans ma poche,
pour avoir longtemps à manger des arachides, longtemps à les aimer et à en être
aimé. Les isolés aiment manger parce que
manger est de l'amour, une pauvre sorte
d'amour, et recouvre le malheur. Tout
en mâchant, je regardais gâteusement les

devantures, enviant les mannequins de cire
des Nouvelles Galeries, si contents de
vivre, ces mannequins, tous en bonne
santé, tous tirés à quatre épingles, tous
aimables et souriants, tous le petit doigt
levé avec élégance, tous enchantés de
faire connaissance, tous si bien élevés,
au courant des règles et des usages, tous
sans cesse charmés, tous souriants, tous
aimant leur prochain, et soudain j'eus
peur d'eux, peur de leurs canines exhibées,
peur de leurs yeux froids. Non, ce n'est pas
vrai, leur dis-je, Maman n'est pas mauvaise
comme la gale, Maman est meilleure que
vous.

LI

Devant ces souriants mannequins aux
yeux implacables, je frissonnai, devinant
leur secrète pensée. Éternel, sauve-moi
de mes ennemis, murmurai-je, et je m'enfuis, tout transpirant. Allais-je devenir
un vilain à force d'être traité en vilain ?
Pour ne plus penser, je sortis un Nick
Carter de ma serviette et, reprenant ma
marche, je me mis à lire les exploits de
Nick, de Chick, de Patsy, de Ten Itchi
et d'Ida. Exquis, pas d'ennemis là-dedans,
ces braves détectives m'admettaient en
leur compagnie, ne me disaient pas de
filer.

Tout en marchant et en mâchant et en
puisant des arachides, ma petite société,
je lisais, la serviette d'écolier maintenant
tenue serrée sous mon bras, je lisais pour
oublier les bouteilles aperçues dans une
vitrine de la rue Longue des Capucins,
bouteilles d'un apéritif appelé l'Antijuif,
excellent apéritif au vieux vin de Banyuls,
disait l'étiquette que je revoyais tout en
lisant, recommandé à tous les gens de
cœur soucieux non seulement de leur
santé mais encore de l'honneur de la
France, disait l'étiquette que je revoyais
cependant que je lisais en remuant les
lèvres, en murmurant les mots de ma lecture pour les empêcher de m'échapper,
car je ne cessais de penser à mon
malheur, ce mal de naissance. Je lisais,
lisais sans arrêt, juif, toujours juif, et les
gens me cognaient et je me sentais absurde,
si absurde d'être seul, si seul d'être absurde

et ambulant lecteur et solitaire mangeur d'arachides grillées. Oui, tout ça à dix ans, j'étais précoce, si vous voulez.

Le Nick Carter terminé, j'achetai le Radical et je lus la constitution du nouveau gouvernement français. Soudain, je jetai le journal. A quoi bon, je n'en étais plus, leur gouvernement ne m'intéressait pas. Le président de la République est un putain, déclarai-je, ignorant le genre et le sens de ce dernier mot. Voilà, je deviens un vilain, pensai-je, et je me frappai le front pour me punir, et je demandai pardon au président de la République.

LII

Dans la rue Paradis, j'achetai un autre journal et je me remis à lire, juif, toujours juif. Mon Dieu, pourquoi si populaire, ce prince de Galles, pourquoi si aimé, pourquoi toutes ces photos de gens qui l'acclamaient après avoir passé toute la nuit dans la rue pour le voir le matin suivant, pourquoi cet amour délirant, pourquoi tous ces soldats qui lui présentaient les armes, et pourquoi lui les saluant avec tant d'autorité? Qu'avait-il fait pour être tellement respecté, et surtout tellement aimé, qu'avait-il fait de beau, de grand? Rien, il était né. Moi aussi j'étais né, et on m'en punissait. Il était très bon, disait le journal. Pas difficile d'être très bon quand

tous les gens vous aimaient. Je déchirai
le journal imbécile et je repris mon errance
dans le monde ennemi, parfois de l'index
droit écrivant Sale juif sur du vide, sur
de l'air, parfois de la main saluant mili-
tairement pour avoir un peu du bonheur
du prince de Galles. Mais il n'y avait pas
de soldats figés ni de foules adorantes.

Apercevant un chat errant, je le suivis
pour n'être pas seul. Mon ami, mon amour,
murmurai-je. Mais même le chat me
détesta lorsque je me penchai pour le
caresser, et il fila et m'abandonna. Je
ricanai. Évidemment! Et si je hurlais pour
me guérir? Si je leur hurlais que je mourais
d'être détesté? Ça leur était bien égal.
Alors, je souhaitai à tous les méchants de
devenir juifs. Qu'ils voient un peu ce
que c'est, murmurai-je. Puis je me tordis
exprès le poignet pour augmenter la somme
d'injustice en ce monde.

LIII

Soudain, je me rassurai. Il n'y avait que quelques chrétiens qui ne m'aimaient pas, c'était seulement ceux du camelot et ceux qui écrivaient sur les murs, peut-être trente en tout seulement. Et même ceux du camelot ne s'étaient pas tous moqués, il y en avait qui n'avaient rien dit, ils n'étaient peut-être pas d'accord avec le camelot, mais ils n'avaient pas osé le dire, peut-être parce qu'ils avaient eu peur du camelot. Et après, dans les rues, il y avait eu des personnes chrétiennes très gentilles. D'abord, la dame qui m'avait expliqué comment aller à la gare, mais j'avais vite filé parce que j'avais eu peur. Et puis le

bon curé qui m'avait demandé pourquoi je
parlais tout seul, qui m'avait proposé de me
reconduire à la maison. Et puis la vieille
qui m'avait demandé si j'étais malade,
elle aussi avait voulu me raccompagner,
elle m'avait même caressé les cheveux,
je n'aurais pas dû m'échapper, j'aurais
dû lui avouer, elle aurait peut-être continué
à être gentille. Oui, si une autre bonne
personne me parlait, oui, avoir le courage
de dire la vérité. Mais ne pas dire juif,
dire israélite, ça ferait meilleure impression.
Et la personne me dirait peut-être Ça
ne fait rien, mon enfant, j'aime bien les
israélites. Oui, dire israélite, c'était moins
dangereux. D'ailleurs, les bonnes sœurs
de l'école catholique de quand j'avais six ans
disaient toujours que j'étais israélite, et
elles étaient toutes gentilles, elles m'avaient
appris les bonnes manières, une contenance
modeste elles disaient, et ne pas balancer
les bras en marchant dans la rue, oui,
toutes si gentilles avec moi, et même la

Mère supérieure m'avait embrassé une fois.
Alors tu vois, me dis-je. D'accord, ne plus
jamais dire juif, dire israélite. Mais aussitôt
je sus que cela ne servirait de rien. Oui,
les millions de Français étaient bons, tous
aimables, mais ils ne m'aimeraient pas,
ne m'aimeraient jamais, et ce n'était pas
leur faute. C'était ainsi, c'était la règle,
et la preuve c'était les murs." Mais
quel était ce mystère de nous détester,
puisque Maman était si bonne?

LIV

Tout à coup, je décidai d'être heureux
et d'aller tous les dimanches au théâtre
en matinée avec Maman, et on s'amuserait
bien, et tant pis d'être juifs, on serait heureux, Maman et moi. Je souriais pour être
heureux déjà, et je savais que ce n'était
pas vrai, je savais que nous ne serions pas
heureux au théâtre, je savais que nous
resterions seuls pendant l'entracte, seuls
dans les couloirs de l'entracte, seuls tandis
que les spectateurs chrétiens seraient tous
ensemble à causer gaiement parce qu'ils
se connaîtraient et s'aimeraient, et ils
discuteraient en se regardant gentiment,
heureux d'être ensemble, et Maman et

moi nous serions seuls et abandonnés, une sale race, on n'aime pas les juifs par ici, seuls et condamnés à regarder de loin les heureux, les chrétiens assemblés dans les couloirs de l'entracte, et nous essayerions d'écouter un peu ce qu'ils se diraient, nous essayerions pour être un peu avec eux, mais nous nous cacherions l'un à l'autre que nous les écoutions et que nous avions besoin de leur compagnie, et nous ferions semblant de ne pas savoir que nous étions des rejetés, et nous discuterions du caractère de celui-ci et de la robe de celle-là, pour être normaux, et aussi pour être un peu avec eux de loin, pour les fréquenter un peu de loin, et peut-être que quelquefois à voix basse nous les critiquerions ou nous nous moquerions un peu d'eux par tristesse de n'être pas avec eux, discutant avec eux et aimés par eux, et nous prendrions aussi des consommations, comme eux, des consommations pour nous consoler, des consommations consolations,

des consommations pour nous aussi, des
consommations comme les heureux, des
consommations pour avoir notre part de
bonheur, et nous parlerions tout le temps,
isolés et délaissés promeneurs dans les
couloirs de l'entracte, nous parlerions
beaucoup pour faire semblant de n'être pas
des silencieux dédaignés, pour cacher l'un à
l'autre notre humiliation, et aussi nous
parlerions beaucoup pour être très ensemble
et très amis, Maman et moi, pour croire
que nous étions heureux, pour croire que
nous n'avions pas besoin des autres, mais
nous saurions qu'ils ne voulaient pas de
nous, et dans les couloirs de l'entracte nous
parlerions du caractère des personnages et
du jeu des acteurs, nous en parlerions avec
intelligence et ardeur pour montrer que
nous n'avions besoin que de nous, pour
montrer que nous prenions beaucoup
d'intérêt à notre conversation, et ce ne
serait pas vrai, et j'aurais pitié de nous deux,
et nous nous sourririons dans les couloirs

de l'entracte en faisant semblant d'être heureux, et nous nous aimerions beaucoup, Maman et moi, deux malchanceux promeneurs dans les couloirs, nous nous aimerions avec la honte de notre malheur de solitude, mais nous ne parlerions pas de notre honte, nous n'en parlerions pas pour ne pas faire de la peine à l'autre, et dignement nous errerions dans les couloirs du bannissement, distants à regret, pauvres souriants exclus, fiers promeneurs solitaires expiant le péché de naissance et d'étrangeté. O méchant Dieu, murmurai-je. Entrer dans cette pâtisserie encore ouverte ? A quoi bon ? Les gâteaux ne servaient de rien, les gâteaux même au chocolat ne supprimaient pas le malheur.

LV

Oui, mon trésor, dis-je à un rat qui, dans la nuit venue, peureusement filait, pauvre solitaire, le long du caniveau, filait, défendant sa vie, pauvre détesté. Oui, mon ange, lui dis-je, oui, mon Albert, nous serons heureux, tu verras, tout n'est pas perdu, je t'assure. Ainsi, avec un sourire malade, ainsi parlent et se parlent les malheureux, les toqués du malheur. Je m'arrêtai. Sur le mur, une longue inscription à la craie, et de nouveau un paquet de sang massivement afflua sous ma poitrine, à hauteur du sternum, avec le choc d'un coup contre ma gorge, bélier de sang contre ma gorge, et je sus que ma vie était perdue.

LVI

Mort aux juifs Mort aux juifs Sales
juifs Sales juifs. Ainsi disait la bonne
inscription devant laquelle je savais que ma
vie était perdue. Le savoir à dix ans, c'est
trop tôt. Je regardais l'inscription, hébété,
envoûté. Mort aux juifs Mort aux juifs
Sales juifs Sales juifs. Se lancèrent contre
mes yeux deux images qui me firent trans-
pirer. La première image fut que, lorsque je
serais grand, le soir du départ, sur le bateau,
tous les passagers seraient gentils avec
moi, me parleraient, me souriraient. La
seconde image fut que, le lendemain matin,
tous les passagers m'éviteraient, dans un
sinistre silence, parce qu'ils auraient appris
que j'en étais un. Dans toute ma vie, ma

vie à venir, je le savais maintenant, personne ne m'aimerait et je ne pourrais jamais
aimer personne, moi qui aimais tant aimer
et être aimé. Vertigineux, honni de tous,
une veine battant à mon cou et, dans la
gorge, une barre arrêtant les sanglots,
je restai à regarder la condamnation, et
de peur j'humectai mes lèvres. Toujours
juif, jamais aimé, toujours juif, jamais
aimé.

LVII

Mort aux juifs Mort aux juifs Sales
juifs Sales juifs. Le sale juif regardait
la condamnation, le sale juif de dix ans se
savait un immonde à perpétuité. Mort aux
juifs Mort aux juifs Sales juifs Sales
juifs. Le sale juif avait mal, le sale juif
avait la bouche entrouverte de malheur,
le sale juif avait les jambes faibles de
malheur, le sale juif avait le corps moite de
malheur, le sale juif avait la respiration
difficile de malheur, le sale juif ne pouvait
pas pleurer, le sale juif avait un bizarre
spasme de sanglot, le sale juif avait un
spasme immobilisé, le sale juif avait un
sanglot pétrifié, le sale juif avait un sanglot

en panne et paralysé dans la cage de la poitrine, le sale juif avait un sanglot arrêté dans la poitrine, un commencement de sanglot qui ne pouvait pas continuer et sortir. C'était une douleur de sale juif et même de youpin ou de youtre, une douleur qui n'avait plus de pleurs, une douleur de sale juif, une douleur qui n'avait pas la consolation des pleurs, une douleur de sale juif, une douleur qui n'avait pas la pauvre joie des pleurs, une douleur de sale juif dont on voulait la mort, une douleur de honte, une douleur de bosse dans le dos, une douleur de sale juif, une douleur qui suffoquait, sèche et seule, blême, sans espoir. Oui, ça souffre, les sales juifs, tout comme des créatures humaines. Antisémites, âmes tendres, je cherche l'amour du prochain, dites, sauriez-vous où est l'amour du prochain ?

LVIII

Je revois le geste piteux de l'enfant
devant le mur qui demandait sa mort.
Il leva le bras, tendit un index accusateur
vers le méchant souhait. C'était un geste
de faible, un geste de pitre, un geste de
prophète. L'enfant resta longtemps ainsi,
l'index ridiculement tendu, à dénoncer
la meurtrière inscription. Comique spectacle, exhibition de mauvais goût. Ainsi
est le malheur.

Ce pauvre geste impuissant d'un enfant
condamnant la haine, je vous le lègue,
générations chrétiennes, je vous le lègue

par ce testament. C'est mon cadeau. Vous
en ferez ce que vous voudrez. Ce n'est
plus mon affaire, c'est la vôtre. Jetez-le
aux balayures, ce geste d'un enfant pur
et bon, si vous voulez.

LIX

L'enfant reprit sa marche éternelle.
Le sérieux et la faiblesse de la douleur
sur son beau visage de sale juif, n'étant
plus que du malheur qui voulait finir,
du malheur de sale juif, l'enfant de dix ans
posait à peine ses pieds sur le sol, les posait
sans foi et sans ce sentiment d'utilité
qui est sous chacun de nos actes aussi
longtemps que nous sommes heureux.
Mort aux juifs, répétait machinalement
l'enfant de dix ans, et des frissons le
secouaient. Oui, aller à la maison et mourir,
puisqu'ils y tenaient tellement. Le sale
juif savait qu'il ne saurait pas se tuer,
qu'il n'oserait pas, qu'il était trop petit,

le sale juif supplierait son père de le tuer.
Ainsi, plus de sale juif.

Oui, aller à la maison et mourir. Papa
était une grande personne, il saurait.
Papa avait un rasoir que Maman enfermait
toujours à clef. Papa appuierait sur ma
gorge, je remuerais un peu, et puis fini,
plus de sale juif. Mon Dieu, pourquoi
est-ce que je marchais puisque j'allais
mourir? Même pour mourir, il fallait
marcher et faire des mouvements de vie!
Pourquoi ne pouvait-on pas mourir en
prononçant un certain mot spécial, puissant? Voilà, on fermait les yeux, on disait
vite le mot, ça ne vous faisait pas mal à la
gorge, et c'était fini, on ne voyait plus de
murs. Et juste avant de prononcer le mot,
on ne savait pas encore si on allait vraiment
se décider et ainsi jusqu'au dernier moment
on n'avait pas peur. Mort aux juifs. Oui,
Papa était bon, il me tuerait.

Dans la rue nocturne, j'allais. Sur la porte d'un magasin, de grosses lettres blanches exigèrent ma mort. Oui, bientôt, bientôt, promis-je aux trois mots d'amour, leur amour. Derrière les volets fermés de ces maisons devant lesquelles je passais, c'était des heureux qui dormaient, qui dormaient paisiblement, des enfants chrétiens, ils dormaient, ils ne pensaient pas à demander à leur père, ils ne demandaient pas à leur père de les tuer. Papa comprendrait, il aurait pitié. Je le supplierais, je lui expliquerais que j'avais toujours été obéissant, je lui rappellerais le jour où on avait joué au coiffeur ensemble, et aussi que le patriarche Abraham avait accepté de tuer son fils Isaac. Non, plutôt le réchaud à charbon, le réchaud de Corfou. Oui, le réchaud allumé au milieu de la chambre, et nous nous tiendrions tous les trois par la main, et nous entrerions ensemble dans le pays sans méchants.

LX

Soudain, je me reconnus dans la glace illuminée d'une bijouterie, et je m'arrêtai, et je me regardai encore, et j'eus un tressaillement et, me rendant à moi-même hommage, je portai ma main à mes lèvres qui eurent un sourire furtif et bizarre, timide et malin, léger, tremblant, glorieux. Dans la rue déserte, j'oignis mon front des larmes prises sous mes yeux et j'allai, la démarche changée et comme royale, j'allai, fier éternellement de mon peuple, mon beau malheur, j'allai dans un vent de désert, la main de l'Éternel contre mes reins, j'allai, couronné de leur haine, désormais juif à jamais, juif comme les patriarches, juif comme les prophètes et juif comme Dieu. Alléluia.

LXI

Apercevant un fiacre stationné près d'un réverbère à longue traîne d'ombre, étrange anguleux fiacre luisant, déchiqueté fiacre sans cocher, je m'arrêtai devant le vieux cheval dolent, humble esclave de jour et de nuit, longue chaste doctorale tête vers les jambes torses penchée, je m'arrêtai pour qu'il m'entendît dire à voix haute, à voix douce et enivrée, m'entendît dire que j'étais le roi, le roi des juifs, le prince de l'exil, le seigneur humilié qui, plus tard, qui libérerait plus tard les hommes de leur méchanceté. D'allégresse soudaine, je claquai des doigts et des talons, et je dansai dans la nuit, dansai absurdement sur place, dansai à l'ombre

démesurée de la captive carne, follement
dansai d'illustre et royal bonheur. Ainsi
délirai-je, ainsi l'enfant dément de malheur.

Et voici, le sage cheval frappa avec son
sabot de devant, soudain tremblant de froid
ou de respect frappa encore, frappa sur les
jaunes humides reflets, et il y eut des étin-
celles, puis rauquement toussa une toux
humaine, puis sentencieusement hocha sa
tête barbue, tête malade, tête ancienne, et
m'approuva, puis mélancoliquement me
regarda humainement, effort raté vers
l'humain, me regarda de ses grands yeux
soyeux, doux yeux songeurs, puis encore
m'approuva et d'un profond hochement
jusqu'aux genoux cagneux en hommage me
salua.

Et je m'en fus, le front au ciel de nuit,
ciel brillant d'innombrables regards, ciel

immortel où était une grandeur, le Dieu d'Abraham, d'Isaac et de Jacob, l'Éternel, notre Dieu. Entendant tousser encore le cheval, je me retournai et je vis qu'il s'était retourné aussi, seul public convaincu, pour tristement me considérer et encore d'un hochement vassal saluer son roi qui s'éloignait, un sourire léger et quelque peu hagard et glorieux aux lèvres tremblantes, qui s'éloignait cependant que rauquement retentissait une dernière bénédiction.

LXII

Côtoyant un passant d'allure débonnaire,
barbiche et binocle et bedon, je réglai
mon pas sur le sien et je murmurai,
feignant de me réciter une poésie, je murmurai que j'étais le choisi et l'élu et que je
le sauverais. Je te sauverai du mal, murmurai-je distinctement, murmurai-je plusieurs fois. Malin et prudent comme un
fou, je déclamais pudiquement ma grâce
de rédempteur à l'intention du passant,
mais je feignais de me réciter une leçon
à voix censément basse mais assez haute
pour être entendue. Je feignais de réciter,
et ainsi le passant ne me ferait pas arrêter,
croirait que j'étais un enfant normal qui

repassait sa leçon et, malgré tout, il entendrait la vérité, la terrible vérité apparue. Soudain, effrayé par le monsieur qui m'observait, et sentant qu'il allait me parler, me gronder sans doute d'aller seul dans la nuit, je filai à toutes jambes. Arrivé au tournant de la rue, je repris ma marche royale sous les bénissantes étoiles, gravement vers un temple bleu où l'eau vive chanterait.

LXIII

Ainsi donc, devenu maboul, enfantelet soudain jeté dans le malheur, petite créature stupéfaite et aveugle, j'errais dans la nuit des rues et des pensées, interminablement j'errais, insensé en la dixième année de ma vie. Lépreux, j'errais, cherchant une auguste explication de mon malheur, j'errais ridiculement, les pieds majestueusement glissants sur le trottoir luisant de nuit, j'errais avec la démarche royale et faible des parias persécutés que couronne un consolateur délire, j'errais, faisant des gestes qui ponctuaient de grandioses projets et des compréhensions souriantes, j'errais solennellement, faible et

honni, j'errais en me disant, tout délirant,
en me murmurant à voix assez haute quoique prudente que j'étais le roi, le roi des
juifs. On se console comme on peut.
Faute de bonheur, on se contente de
royauté.

LXIV

Complètement cinglé, j'allais, une longue robe au vent, invisible simarre que le vent de la marche écartait en deux ailes, j'allais, couronné d'hyacinthe et d'or, suivi d'un noble cheval blanc. Vengé, l'enfant fou allait, bon et méprisant, absurde parmi les hommes, promis à la défaite, royal. Si cruel que ce soit à l'égard du petit malheureux qui allait dans la nuit et que je ridiculise ainsi, je dois à la vérité de dire que ce roi d'occasion et de quatre sous lançait parfois un preste regard de côté dans les glaces des bijouteries fermées mais aux vitrines illuminées de la rue Saint-Ferréol, guignait pour voir l'effet qu'un monarque douloureux faisait dans une glace. Mais j'ai pitié plus que je ne me moque, car ces coups d'œil comédiens n'étaient que les malades réconforts d'un enfant solitaire et paria.

Paria mais bénisseur. Devant chaque méchant rencontré, j'ébauchais de petits gestes de bénédiction. Honni, je bénissais tous les méchants et particulièrement les blonds, je les bénissais et les aimais au nom d'Israël, d'Israël que j'étais devenu, je les bénissais en fourrant dans mes bénédictions de vagues mots hébreux de la seule prière que je connaissais, mais surtout inventant des mots que j'espérais un peu hébreux et qui m'émouvaient et me donnaient l'impression d'être sublime. Je bénissais les méchants et je leur annonçais en mon âme, avec toutes sortes d'esquisses de gestes magiques mais dissimulés, je leur annonçais au nom d'Israël sauveur et proscrit, d'Israël que j'étais, je leur annonçais qu'ils m'aimeraient un jour et que ce jour serait le jour du baiser sans fin de tous les hommes par moi humains devenus. Mince de culot.

J'allais, les pieds grandiosement glissants, et je bénissais mes foules et je souriais et faisais des salutations royales, royales mais prudentes, lassés et négligents mais courtois saluts militaires à peine ébauchés pour ne pas attirer l'attention, j'allais et je souriais, promettant des dons à mes ennemis et frères futurs, des beautés, et à celui-ci qui était laid, un visage au mien pareil. J'allais, parfois soulevant et dépliant au-dessus de ma tête ma serviette d'écolier devenue les Tables de la Loi, j'allais, privilégié porteur de la Loi, saints commandements de l'Éternel, honneur des hommes, j'allais dans le craquement des cèdres, faux roi en Israël et vrai descendant d'Aaron le grand prêtre, frère de Moïse. J'allais.

Mais soudain une sueur de peur, car le roi se rappelait soudain qu'on ne voulait pas de lui, pauvre ancien futur colonel français, colonel français à jamais mort, qu'on ne voulait pas de lui si décidé à acheter le détacheur universel pour être aimé du camelot, qu'on ne voulait pas de lui si désireux d'en être, avec un cœur si prêt à aimer, idiotement aimant.

LXV

Sous les étoiles filantes du ciel, pierres parsemées de ma couronne, j'allais, royalement timbré, les pieds sublimement glissants sur les trottoirs de l'exil, j'allais, avec une élégance androgyne et un peu folle. Mort aux juifs. J'exorcisai le mur par des haussements de sourcils, par des gestes mécaniques et solennels. Vie aux chrétiens, répondis-je à la mauvaise inscription, et je regardai le ciel où les yeux de mes anciens morts scintillaient et m'approuvaient. Oui, les chrétiens étaient mes enfants, mes chauds moineaux pépiants que je tenais dans mes bras, que je serrais contre moi grave de paternité, et je leur promettais qu'ils deviendraient gentils et que je m'en chargeais. Mort aux juifs. Je souris au mur, j'essayai de le calmer, je lui fis des gestes conciliants, je lui fis signe de prendre patience. Sale juif, hurlèrent des foules, et je les bénis. Sacerdotalement, de la main écartée en deux rayons, je bénissais mes chers méchants, et sur ma face en douleur et sourire je sentais couler, en bave longue, les outrages et la haine de mes fils, les hommes.

LXVI

La joue gauche me brûlait et je m'avouai
que ma majesté avait été souffletée, je le
dis pour la première fois, et nul des miens
ne l'a su. Oui, en ce jour de ma dixième
année, j'avais été giflé par le camelot
lorsque, stupéfait d'être ainsi expulsé,
j'avais retardé mon exode, immobile à
regarder mon offenseur, la bouche entrouverte en protestation, avec dans les yeux
cette dénégation de culpabilité, cette
charnelle peur, cette peur que je devais
retrouver désormais dans les yeux de ma
mère.

J'allais dans la rue déserte, j'allais,
la main à ma joue offensée, j'allais, fils
des prophètes devenu youpin, j'allais,
avec Un des miens à ma droite, Jésus
aux yeux cernés, Jésus qui tenait aussi
sa main contre sa joue gauche, joue
étrangement pâle, deux perdus et étonnés
allant ensemble, Jésus né juif comme
moi et qui me le répétait, Jésus de
ma race et de ma religion, et ses fidèles
fêtaient encore l'anniversaire de sa cir-
concision le premier jour du mois de janvier
car, comme il se devait selon la religion
des juifs, il avait été circoncis sept jours
après sa naissance, raccourci où il faut,
comme avait dit le camelot, Jésus que le
camelot avait chassé avec moi, Jésus fils
de Marie qui était une juive, Jésus au
sourire naïf mais sage, beau Jésus rêveur
à ma droite, et la foule nous lançait des
pierres et criait que nous étions des sales

juifs et réclamait notre mort, et Jésus
me souriait, tristement complice, et me
murmurait Vie aux juifs, Jésus aimant à ma
droite, et Un Autre, un autre grand de
ma race, était devant nous et portait ses
Dix Commandements, haut tenus sous les
tonnerres du Sinaï ou sous les pâleurs des
réverbères et des effrayantes prostituées
apparues, mystérieuses sentinelles surgies,
zézayantes butineuses d'argent et de mala-
dies, et dont l'une me dit qu'il était passé
minuit et que je ferais mieux de rentrer
à la maison et d'aller me coucher. Et le
roi obéit à la prostituée.

LXVII

Sur le chemin du retour, marchant sous la pluie qui tombait maintenant et faisait sur le trottoir des petits clins d'œil tombés et désolés, tenant sa main contre la joue outragée, l'enfant rencontra sa mère et son père qui revenaient pour la quatrième ou cinquième fois, échevelés et hagards, du commissariat de police où, depuis des heures, faisant la navette entre la maison et le commissariat, ils étaient allés humblement demander si on avait des nouvelles de leur petit garçon disparu et dont ils avaient chaque fois sangloté le signalement, un petit garçon si beau, de beaux cheveux bouclés, monsieur le commissaire.

Lorsque les trois furent rentrés dans l'appartement de bonté, ô doux ghetto privé de mon enfance morte, ô chaleur et rond jaune de la lampe à pétrole, ô ma mère morte que jamais je ne reverrai, et jamais plus aller l'attendre à la gare, ils ne s'arrêtèrent pas dans la chambre où attendait et attendit vainement toute la nuit le beau repas de fête amoureusement préparé pour le dixième anniversaire de l'enfant, et où le grand gâteau resta solitaire et intact autour duquel étaient piteusement éteintes et mortes les dix bougies roses d'une petite vie débutante.

Les trois ne s'assirent pas à la table ornée pour la fête des dix ans, et ils allèrent dans la chambre du père et de la mère. Là, maîtrisant le vertige qui lui est resté toute la vie, l'enfant raconta à son père

et à sa mère. Mais il ne raconta pas tout
et il dit seulement que des gens avaient
ri de lui et l'avaient chassé parce qu'il
avait un visage juif. Alors, le père et la
mère lancèrent un regard de remords sur
le visage de l'enfant qu'ils avaient mis au
monde, et ils baissèrent les yeux. Je revois
ce moment. Mon père était assis sur son
lit, ma mère était assise sur le lit d'en face,
et sa petite main de peau trop fine tenait
le pommeau de cuivre. Et tous les trois
nous pleurions. De quoi réjouir un antisémite.

LXVIII

Bien sûr, antisémites, âmes tendres, bien sûr, ce n'est pas une histoire de camp de concentration que j'ai contée, et je n'ai pas souffert dans mon corps en ce dixième anniversaire, en ce jour de mes dix ans. Bien sûr, on a fait mieux depuis. Bien sûr, le camelot n'a fait que donner de la honte à un petit enfant, il l'a seulement renseigné sur sa qualité d'infâme. Bien sûr, il l'a seulement convaincu du péché d'être né, péché qui mérite le soupçon et la haine. Mais ce n'est tout de même pas mal d'apprendre à un doux petit enfant qu'il est un maudit et de tordre à jamais son âme. Bien sûr, on a

fait mieux depuis. Mais ce qui m'advint
en ce dixième anniversaire de ma venue
sur terre, cette haine pour la première
fois rencontrée, cette haine imbécile fut
l'annonce des chambres de grand effroi,
le présage et le commencement des chambres à gaz, des longues chambres de ciment
où deux des miens, mon oncle et son fils,
ont suffoqué et sont morts, se tenant par la
main, la nudité du fils s'abattant sur la
nudité du père qui l'avait aimé.

LXIX

Sans le camelot et ses pareils en méchanceté, ses innombrables pareils d'Allemagne et d'ailleurs, il n'y aurait pas eu les chambres à gaz, les chambres allemandes de mort qu'une aimable inscription dénommait salles de douches, les chambres allemandes dont les corps morts ou en agonie étaient ensuite poussés dans les fours allemands par des congénères encore vivants, à leur tour bientôt gazés, et parfois même, pour le plaisir, allégrement lancés dans les fours allemands par les blonds athlètes bottés, chers aux haïsseurs de juifs.

Sans le camelot et ses pareils en méchanceté, ses innombrables pareils d'Allemagne
et d'ailleurs, il n'y aurait pas eu, chemins
des libérations, les longues cheminées des
fours crématoires, cheminées allemandes
d'où sans trêve sortaient, avec les jaunes
et rouges chevelures des flammes allemandes, les fumées de mon peuple sacrifié,
noirs panaches vers le ciel s'élevant, avec
leur puanteur que Dieu n'a pas sentie,
funèbre encens d'un grand peuple, le plus
fidèle, le plus souffrant, le plus tué et le
plus haï, et c'est une gloire et une élection
d'être ainsi haï par les méchants et par les
vils.

Sans le camelot et ses pareils en méchanceté, ses innombrables pareils d'Allemagne
et d'ailleurs, il n'y aurait pas eu, devant
les fours allemands et en l'an de grâce

mil neuf cent quarante-trois, ces amoncelle-
ments d'assassinés, bras inertes et jambes
apathiques, il n'y aurait pas eu ces émi-
nences d'abandonnés sortis des chambres
de mort allemandes et attendant les flammes
allemandes, il n'y aurait pas eu ces squelet-
tiques jaunes nudités immensément entas-
sées et emmêlées en effrayant désordre,
glacé et paralysé pêle-mêle, épouvantable
jeu allemand d'humains jonchets, il n'y
aurait pas eu ces îlots d'anciens vivants figés
en grand délaissement, silencieux mannequins qui avaient aimé autrefois et souri
autrefois, silencieux malheurs, bouches
ouvertes en une dernière plainte, boules
glacées des yeux morts, yeux ouverts qui
vous regardent, haïsseurs de juifs.

Sans le camelot et ses pareils en méchanceté, ses innombrables pareils d'Allemagne
et d'ailleurs, il n'y aurait pas eu les camps
allemands et le peuple décharné de mes

frères encore vivants dans leurs couches
de bois, léthargiques à peine remuants
qui attendaient en leurs guenilles rayées,
ou nus déjà et les os démesurés sous les
flasques peaux vides, attendaient leur tour
dans les couches étagées, attendaient leur
tour de mourir, attendaient avec l'indiffé-
rence de la prostration, attendaient, cachec-
tiques et détachés, attendaient, clochards
de Dieu et oubliés des hommes, attendaient,
desséchés, attendaient, avec parfois un
geste malade, un geste sans but et très
lent, attendaient, étendus ou accroupis
en leurs couches dures, attendaient, indiffé-
rents à la vermine, attendaient, les yeux
encore vivants dans les vastes orbites
effrayantes, yeux d'oiseaux nocturnes, yeux
agrandis dans les faces creusées, attendaient, avec parfois un malade regard
vers les suicidés de la nuit, piètres pantins
pendus, attendaient, se souvenant des temps
heureux, attendaient leur mort et la savaient
proche, attendaient, respirant encore, res-

pirant les effrayants relents annonciateurs,
relents sortis des cheminées allemandes,
longues cheminées des crématoires allemands, attendaient leur tour de tomber
les uns sur les autres, avec les souillures
de la peur, de tomber dans les chambres
sifflantes de gaz Cyclone, chambres allemandes et gaz allemand. A cause de qui
allaient-ils tomber, étiques dénudés, tomber
les uns sur les autres, les yeux ouverts? A
cause du blond camelot et de ses pareils
en méchanceté, ses innombrables pareils
d'Allemagne et d'ailleurs, tous les haïsseurs
de juifs.

Oui, ces yeux morts mais ouverts vous
regardent, haïsseurs, vous regardent lorsque
tendrement vous baisez la joue de votre
femme ou le front de votre fils, vous
regardent lorsque vous riez, vous regardent
lorsque paisiblement vous dormez, vous
regardent lorsque vous priez, vous regar-

deront lorsque vous agoniserez, mains
écartant les draps.

Dites, vous, antisémites, haïsseurs que
j'ose soudain appeler frères humains, fils
des bonnes mères et frères en nos mères,
frères aussi en la commune mort, frères
qui connaîtrez l'angoisse des heures de
mort, pauvres frères en la mort, mes frères
par la pitié et la tendresse de pitié, dites,
antisémites, mes frères, êtes-vous vraiment
heureux de haïr et fiers d'être méchants?
Et est-ce là vraiment le but que vous avez
assigné à votre pauvre courte vie?

LXX

O vous, frères humains et futurs cadavres,
ayez pitié les uns des autres, pitié de vos
frères en la mort, pitié de tous vos frères
en la mort, pitié des méchants qui vous
ont fait souffrir, et pardonnez-leur car
ils connaîtront les terreurs de la vallée
de l'ombre de la mort, et ils ont des droits
sur vous, augustes droits des futurs ago-
nisants, ayez pitié d'eux, pitié de vos frères
en la mort, pitié de tous vos frères en la
mort, pitié de leur agonie certaine, dame
d'honneur de leur mort assurée, mort qui
sera la vôtre aussi, et leurs mains et vos
mains s'accrocheront aux draps et les
repousseront et affreusement les tourmen-

teront dans un dernier effort de vivre, vivre encore, respirer encore, respirer une fois encore. Ayez pitié les uns des autres, pitié de vos communes morts, et que de cette pitié du prochain et de sa mort certaine, pitié de notre commun malheur et destin, que de cette seule pitié naisse enfin une humble bonté, plus vraie et plus grave que le présomptueux amour du prochain, une bonté de justice, car il est juste d'avoir pitié du malheur d'un futur agonisant.

Oui, frères, ne plus haïr, par pitié et fraternité de pitié et humble bonté de pitié, ne plus haïr importe plus que l'amour du prochain, amour auquel j'ai cru en ma jeunesse, et j'en ai la nostalgie, et j'en sais l'attrait et le charme, et il me tente parfois, cet amour, émouvant de beauté, mais comment le prendre au sérieux, comment y croire ? Comment d'amour véritable, amour prêt au renoncement et à la privation, amour plus fort que l'attachement à soi-même, amour plus fort que la mort, car sans cesse je pense à l'aimée après ma mort, et saura-t-elle se défendre lorsque je ne serai plus auprès d'elle, comment de cet amour que tu as pour ceux que tu aimes en vérité, de cet amour qui est vrai, car tu vis avec tes aimés, tu les connais, et ton âme s'est attachée à leur âme, et en vérité tu les chéris, et ils sont tes prochains, comment de cette sublime préférence de l'autre, de cet amour qui est constant tremblement de perdre l'être aimé, de le perdre par sa mort ou par ta mort, comment d'un tel amour, seul digne de ce nom, comment de cet amour sacré sincèrement aimer des inconnus par milliers ou millions ? En vérité, il y a deux amours, le vrai pour les bien-aimés, et le faux pour les autres, l'amour dit du prochain. Ah, comme ils aiment peu et comme ils se contentent de peu, les aimants du prochain.

En vérité, je vous le dis, par pitié et
fraternité de pitié et humble bonté de
pitié, ne pas haïr importe plus que l'illu-
soire amour du prochain, imaginaire amour,
mensonge à soi-même, amour dilué, esthé-
tique amour tout d'apparat, léger amour
à tous donné, et c'est-à-dire à personne,
amour indifférent, angélique cantique, théâ-
trale déclaration, amour de soi et quête d'une
présomptueuse sainteté, vanité et poursuite
du vent, dangereux amour mainteneur
d'injustice, d'injustice par ce trompeur
amour fardée et justifiée, ô affreuse coexistence de l'amour du prochain et de l'injustice, stérile amour qui au long de deux
mille années n'a empêché ni les guerres
et leurs tueries, ni les bûchers de l'Inqui-
sition, ni les pogromes, ni l'énorme assassi-
nat allemand, ô affreuse coexistence de
l'amour du prochain et de la haine.

O vous, frères humains, vous qui pour si peu de temps remuez, immobiles bientôt et à jamais compassés et muets en vos raides décès, ayez pitié de vos frères en la mort, et sans plus prétendre les aimer du dérisoire amour du prochain, amour sans sérieux, amour de paroles, amour dont nous avons longuement goûté au cours des siècles et nous savons ce qu'il vaut, bornez-vous, sérieux enfin, à ne plus haïr vos frères en la mort. Ainsi dit un homme du haut de sa mort prochaine.

DU MÊME AUTEUR

Aux Éditions Gallimard

SOLAL, *roman.*
MANGECLOUS, *roman.*
LE LIVRE DE MA MÈRE.
ÉZÉCHIEL, *théâtre.*
BELLE DU SEIGNEUR, *roman.*
LES VALEUREUX, *roman.*
CARNETS 1978.

COLLECTION FOLIO

Dernières parutions :

2203. Marcel Proust — *Le Temps retrouvé*
2204. Joseph Bialot — *Le salon du prêt-à-saigner*
2205. Daniel Boulanger — *L'enfant de bohème*
2206. Noëlle Châtelet — *A contre-sens*
2207. Witold Gombrowicz — *Trans-Atlantique*
2208. Witold Gombrowicz — *Bakakaï*
2209. Eugène Ionesco — *Victimes du devoir*
2210. Pierre Magnan — *Le tombeau d'Hélios*
2211. Pascal Quignard — *Carus*
2212. Gilbert Sinoué — *Avicenne (ou La route d'Ispahan)*
2213. Henri Vincenot — *Le Livre de raison de Glaude Bourguignon*
2214. Emile Zola — *La Conquête de Plassans*
2216. Térence — *Théâtre complet*
2217. Vladimir Nabokov — *La défense Loujine*
2218. Sylvia Townsend Warner — *Laura Willowes*
2219. Karen Blixen — *Les voies de la vengeance*
2220. Alain Bosquet — *Lettre à mon père qui aurait eu cent ans*
2221. Gisèle Halimi — *Le lait de l'oranger*
2222. Jean Giono — *La chasse au bonheur*
2223. Pierre Magnan — *Le commissaire dans la truffière*
2224. A.D.G. — *La nuit des grands chiens malades*
2226. Albert Camus — *Lettres à un ami allemand*
2227. Ann Quin — *Berg*
2228. Claude Gutman — *La folle rumeur de Smyrne*
2229. Roger Vrigny — *Le bonhomme d'ampère*

2230. Marguerite Yourcenar — *Anna, soror...*
2231. Yukio Mishima — *Chevaux échappés (La mer de la fertilité, II)*
2232. Jorge Amado — *Les chemins de la faim*
2233. Boileau-Narcejac — *J'ai été un fantôme*
2234. Dashiell Hammett — *La clé de verre*
2235. André Gide — *Corydon*
2236. Frédéric H. Fajardie — *Une charrette pleine d'étoiles*
2237. Ismaïl Kadaré — *Le dossier H.*
2238. Ingmar Bergman — *Laterna magica*
2239. Gérard Delteil — *N'oubliez pas l'artiste!*
2240. John Updike — *Les sorcières d'Eastwick*
2241. Catherine Hermary-Vieille — *Le Jardin des Henderson*
2242. Junichirô Tanizaki — *Un amour insensé*
2243. Catherine Rihoit — *Retour à Cythère*
2244. Michel Chaillou — *Jonathamour*
2245. Pierrette Fleutiaux — *Histoire de la chauve-souris*
2246. Jean de La Fontaine — *Fables*
2247. Pierrette Fleutiaux — *Histoire du tableau*
2248. Sylvie Germain — *Opéra muet*
2249. Michael Ondaatje — *La peau d'un lion*
2250. J.-P. Manchette — *Le petit bleu de la côte Ouest*
2251. Maurice Denuzière — *L'amour flou*
2252. Vladimir Nabokov — *Feu pâle*
2253. Patrick Modiano — *Vestiaire de l'enfance*
2254. Ghislaine Dunant — *L'impudeur*
2255. Christa Wolf — *Trame d'enfance*
2256. XXX — *Les Mille et Une Nuits, I*
2257. XXX — *Les Mille et Une Nuits, II*
2258. Leslie Kaplan — *Le pont de Brooklyn*
2259. Richard Jorif — *Le burelain*
2260. Thierry Vila — *La procession des pierres*
2261. Ernst Weiss — *Le témoin oculaire*
2262. John Le Carré — *La Maison Russie*
2263. Boris Schreiber — *Le lait de la nuit*
2264. J.M.G. Le Clézio — *Printemps et autres saisons*
2265. Michel del Castillo — *Mort d'un poète*
2266. David Goodis — *Cauchemar*
2267. Anatole France — *Le Crime de Sylvestre Bonnard*

2268. Plantu — *Les cours du caoutchouc sont trop élastiques*
2269. Plantu — *Ça manque de femmes !*
2270. Plantu — *Ouverture en bémol*
2271. Plantu — *Pas nette, la planète !*
2272. Plantu — *Wolfgang, tu feras informatique !*
2273. Plantu — *Des fourmis dans les jambes*
2274. Félicien Marceau — *Un oiseau dans le ciel*
2275. Sempé — *Vaguement compétitif*
2276. Thomas Bernhard — *Maîtres anciens*
2277. Patrick Chamoiseau — *Solibo Magnifique*
2278. Guy de Maupassant — *Toine*
2279. Philippe Sollers — *Le Lys d'Or*
2280. Jean Diwo — *Le génie de la Bastille (Les Dames du faubourg, III)*
2281. Ray Bradbury — *La solitude est un cercueil de verre*
2282. Remo Forlani — *Gouttière*
2283. Jean-Noël Schifano — *Les rendez-vous de Fausta*
2284. Tommaso Landolfi — *La biere du pecheur*
2285. Gogol — *Taras Boulba*
2286. Roger Grenier — *Albert Camus soleil et ombre*

Impression Brodard et Taupin
à La Flèche (Sarthe),
le 3 juin 1991.
Dépôt légal : juin 1991.
1er dépôt légal dans la collection : janvier 1988.
Numéro d'imprimeur : 1561E-5.
ISBN 2-07-037915-9 / Imprimé en France.